Arielle Desabysses

14 ans et portée DISPARUE

ÉDITIONS DE MORTAGNE

Catalogage avant publication de Bibliothèque et Archives nationales du Québec et Bibliothèque et Archives Canada

Desabysses, Arielle

14 ans et portée disparue

ISBN 978-2-89662-491-1

1. Desabysses, Arielle. 2. Prostitution juvénile. 3. Victimes de la traite des êtres humains - Québec (Province) - Biographies. 4. Enfants prostitués - Québec (Province) - Biographies. I. Titre. II. Titre : Quatorze ans et portée disparue.

HQ281.D47 2015   364.15'34   C2015-941792-9

Édition
Les Éditions de Mortagne
Case postale 116
Boucherville (Québec)
J4B 5E6
Tél. : 450 641-2387
Téléc. : 450 655-6092
editionsdemortagne.com

Maquette de couverture
© Kinos www.kinos.ca

Dépôt légal
Bibliothèque et Archives Canada
Bibliothèque et Archives nationales du Québec
Bibliothèque nationale de France
4ᵉ trimestre 2015

ISBN : 978-2-89662-491-1
ISBN (epdf) : 978-2-89662-492-8
ISBN (epub) : 978-2-89662-493-5

3 4 5 – 15 – 19 18 17 16 15

Imprimé au Canada

Nous reconnaissons l'aide financière du gouvernement du Canada par l'entremise du Fonds du livre du Canada (FLC) et celle du gouvernement du Québec par l'entremise de la Société de développement des entreprises culturelles (SODEC) pour nos activités d'édition. Gouvernement du Québec – Programme de crédit d'impôt pour l'édition de livres – Gestion SODEC.

Membre de l'Association nationale des éditeurs de livres (ANEL)

À mes parents, ma sœur, mes frères, à mon surveillant de l'école secondaire, à Jo, Mary, Anne, Benny, Cin, G-Jay, Frank.

Merci pour tout.
Je vous dois rien de moins que la vie, ma vie.

*À tous ces pères qui ne savent pas comment réagir
face à leurs petites filles qui deviennent des femmes.*

*À toutes ces mères qui ne savent pas comment réagir
face à leurs jeunes enfants qui ne semblent pas être
comme tous les autres gamins.*

*À tous ces frères, sœurs, amis et tendres moitiés
qui ne savent pas comment réagir
face à une jeune personne différente, perdue et tourmentée.*

*À tous ces adolescents qui ne savent pas comment réagir
face à leurs souffrances et à leur impression
de ne jamais pouvoir s'en sortir.*

*À toutes ces personnes atteintes d'une maladie mentale
qui ne savent pas comment réagir face à leurs démons intérieurs.*

*À tous ces survivants de l'esclavage moderne qui ne savent plus
comment vivre en traînant leurs lourds secrets derrière eux.*

*Merci à tous ceux qui ont toujours cru en moi,
à tous ceux qui n'ont jamais perdu espoir en ma personne,
à tous ceux qui ne m'ont jamais jugée pour mes erreurs,
à tous ceux qui m'ont aimée pour ce que je suis.*

Merci à tous ceux qui ont été là pour moi, tout simplement.

Note de l'auteure

Cette autobiographie est authentique, bien qu'elle renferme peut-être certaines inexactitudes causées par la confusion dans laquelle j'étais plongée et par les années qui me séparent de cette époque. Ce livre a été écrit avec la plus grande honnêteté, selon le meilleur de mes souvenirs.

Les noms des personnages et des lieux ont tous été modifiés afin de respecter l'anonymat.

Sommaire

Prologue 15

Chapitre 1 17
Chapitre 2 23
Chapitre 3 43
Chapitre 4 51
Chapitre 5 65
Chapitre 6 77
Chapitre 7 91
Chapitre 8 117
Chapitre 9 141
Chapitre 10 165
Chapitre 11 177
Chapitre 12 193
Chapitre 13 201
Chapitre 14 207

Épilogue 221

Annexe I 225
Annexe II 241
Bibliographie 257

Prologue

Il était une fois, il y a bien longtemps, dans un royaume fort non lointain, une toute petite fille qui grandissait au sein d'une famille aimante mais imparfaite. Comme tous les enfants, elle rêvait par-dessus tout d'être aimée et acceptée telle qu'elle était.

Or, au cours des premières années de son existence, elle s'est aperçue qu'elle n'avait rien d'une princesse de conte de fées, de ceux que sa maman lui lisait et qui lui inspiraient de la joie.

Dans son histoire, le roi était de ceux qu'on redoute, en raison de sa rigidité et de sa soif de tout régenter. La reine, de son côté, était un ange, dont les anges eux-mêmes enviaient la douceur et la pureté. La petite princesse, elle, rêvait de découvrir le monde de l'autre côté des douves.

Un jour, elle se rendit compte avec effroi qu'elle était cloîtrée dans un château sans issue, barricadée dans une tour si vertigineuse qu'aucun prince ne se risquerait à venir la secourir. Cette certitude s'est d'abord répandue dans les méandres de son esprit, comme un poison funeste, pour ensuite envahir son âme tout entière. Pendant de longues années, cette conviction ne l'a pas quittée.

Le fossé qui la séparait du monde extérieur, ces douves creusées par l'isolement, s'élargissait d'heure en heure. Mettant en péril l'avenir de la petite princesse qui n'en était pas une...

Chapitre 1

Mieux vaut combattre sans espoir
que de vivre sans désirs.

Jean-Baptiste Dureau de la Malle

ette petite fille esseulée, c'est moi, Arielle Desabysses. Je suis maintenant une jeune adulte assumée ou, du moins, j'essaie de l'être, de toutes mes forces.

Je ne sais pas quelles sont les règles de l'art pour écrire une biographie. Mais en ce qui me concerne, l'idée de commencer mon autobiographie en me comparant à une princesse plongée dans la noirceur de la solitude me plaisait bien. Au fond, on a tous été, un jour ou l'autre, une petite princesse ou un petit prince qui s'est senti seul au monde.

Le problème, selon moi, quand on écrit sa propre histoire, c'est qu'on se sent un peu comme un imposteur lorsqu'on utilise le terme « biographie » parce que, avouons-le, ce simple mot nous pousse subtilement à croire que l'auteur est une personnalité publique. Au risque de vous décevoir, je ne suis pas célèbre, je suis seulement une jeune femme ordinaire, avec un passé qui sort de l'ordinaire.

J'ai décidé d'écrire cette autobiographie, ce témoignage, cette confession, pour vous laisser pénétrer dans mon univers aussi merveilleux que terrifiant et, par la même occasion, pour essayer de libérer mon esprit de toutes ces images qui le torturent encore aujourd'hui. Il s'est passé tant de choses depuis que je suis venue au monde : des tragédies abominables, des moments débordants de naïveté et des péripéties désopilantes. Tous ces événements ont fait de moi, au fil du temps, une personne particulièrement différente. Les nombreuses entailles qui couvraient mon âme, au lieu de guérir lentement, de se refermer pour ensuite laisser des cicatrices discrètes, se sont envenimées. Elles sont devenues des plaies béantes et infectées. Je pourrissais de l'intérieur, tel un cadavre en décomposition, attaqué par les asticots qui grugent la chair et tentent de se creuser un tunnel lugubre.

Toutes ces souffrances ont eu des répercussions désastreuses sur ma santé mentale. En fait, il aurait été impossible, voire miraculeux, que je puisse m'en sortir indemne. D'innombrables personnes, autant des gens intimement proches que des étrangers, m'ont posé des questions sur mon passé et, les rares fois où j'ai accepté de leur répondre, j'ai menti ou j'ai offert des vérités déguisées, de peur qu'on me juge et qu'on me condamne à tout jamais. J'avais la même crainte qu'éprouvaient les supposées sorcières de Salem, quand les villageois ont soulevé leurs fourches en même temps que leurs doutes, quand elles ont compris, épouvantées, que leur exécution ne saurait tarder et qu'elles allaient brûler sur un bûcher, impitoyablement, sans qu'aucune larme soit versée sur leur triste sort. J'étais si effrayée à la pensée qu'on me juge aussi sévèrement que ces pauvres femmes que je ne me suis jamais réellement ouverte à quiconque.

Cette fois-ci, en dépit de vos jugements qui seront peut-être sans indulgence, malgré vos conclusions qui n'auront probablement pas de vrai fondement, je vous livre l'histoire de ma vie. Sans me censurer.

Tant pis pour les imbéciles qui chercheront à me dénigrer comme tant d'autres l'ont fait par le passé.

Tout ce qui m'importe aujourd'hui, c'est me débarrasser du voile qui couvre mon visage depuis si longtemps et qui m'empêche d'être enfin et pleinement heureuse.

L'heure fatidique est venue. Je dois faire face aux démons qui hantent et dirigent mon esprit. Je dois reprendre le contrôle de ma vie.

C'est ma dernière chance, ma tentative ultime. Je vous laisse découvrir l'enfant différente et l'adolescente tourmentée que j'étais, ainsi que la femme forte que je suis devenue.

Et tant pis si mon histoire ne vous plaît pas...

Chapitre 2

Telle est l'ingrate position du père au sein de la famille :
pourvoyeur pour tous, ennemi de tous.

August Strindberg

Ma petite enfance, depuis ma naissance jusqu'à l'âge de sept ans, compte parmi les moments les plus heureux de ma vie. En fait, à bien y penser, je ne suis pas certaine qu'on puisse les qualifier d'heureux. Il est parfois difficile de différencier la béatitude du bonheur éphémère et l'innocence que la jeunesse nous accorde de façon passagère. Peu importe, dans mes souvenirs, malgré mes différences avec tous les autres enfants, j'étais heureuse, la plupart du temps. À cette époque, les heures s'écoulaient avec une majestueuse lenteur. Cette période est si loin qu'elle me semble aussi floue que des songes n'existant plus que dans l'inconscient. Toutefois, grâce à ma détermination, je peux rattraper quelques-unes de ces images au vol et reconstituer assez fidèlement le puzzle de mon enfance.

Je me souviens de ma mère, Charlotte. Quand j'étais une toute petite fille, avant mon entrée à l'école primaire, elle me fredonnait des chansons le soir, au moment du coucher. Ma chambre était rose, il y avait un bel arc-en-ciel peint sur un des murs et mes couvertures étaient à l'effigie des licornes. L'odeur sucrée de ma mère, que je humais inlassablement quand je me blottissais contre elle, est restée imprégnée dans ma mémoire. De courts cheveux blonds encadraient soigneusement son visage et elle avait de grands yeux bleus, qui semblaient constamment me crier tout l'amour qu'elle me portait. Elle était si petite, si menue, qu'on aurait pu penser qu'elle allait s'envoler à la première bourrasque, qu'elle serait détruite à la première tempête, mais il était faux de croire ça.

Malgré toutes les épreuves qui se sont abattues sur elle, elle n'a jamais renoncé, elle est restée droite et pure. Elle a été une si bonne maman ! Elle a fait tout en son pouvoir pour me rendre heureuse, pour me combler et pour me donner une bonne éducation. J'ai beaucoup de ressentiment envers les hommes, envers les gens en général, envers la vie elle-même, mais ma mère, jamais je ne pourrais la détester. Elle a été la seule personne à me défendre, envers et contre tous.

Pour tout l'amour qu'elle m'a porté – et pour tout le reste –, je lui serai éternellement reconnaissante. Je l'aimerai jusqu'à ma mort, et bien au-delà.

Je me souviens aussi de ma sœur et de mes frères, Mélissa, Derrick et Mike. L'aîné de la famille, Derrick, un garçon plein d'entrain aux cheveux bruns et aux yeux bleu clair, était mon principal partenaire de jeu. Quoique, après mûre réflexion, il était plutôt le chef et moi sa sous-fifre. Il décapitait mes poupées Barbie et s'amusait à me lancer des pizzas en plastique des Tortues Ninja en plein front, sans jamais se soucier si ces divertissements – à sens unique – me plaisaient. Il décidait et, moi, avec ma sublime innocence, je le suivais avec une foi inébranlable, animée par l'admiration que je nourrissais pour lui. C'était mon grand frère, quoi !

Mes parents m'ont raconté qu'un jour, tandis qu'ils dormaient, tôt le matin, Derrick, qui m'entendait pleurer dans mon berceau, m'avait apporté un biberon dans l'espoir que mes pleurs cessent et que je sois comblée. Âgé alors de trois ans, il n'était pas assez grand pour avoir accès au lait dans le réfrigérateur. Le biberon contenait donc des produits nettoyants qu'il avait pris dans les armoires de la salle de bains, ceux-ci étant à sa portée. Rassurez-vous, je n'ai pas bu une seule goutte de cette mixture ! Mes parents se sont réveillés à temps...

Derrick n'était pas un monstre ; il n'était qu'un petit garçon qui aurait sûrement préféré un petit frère comme compagnon de jeu. Mais cette anecdote démontre que mon grand frère essayait, avec les meilleures intentions du monde et toute sa maladresse, de prendre soin de moi et de me rendre heureuse. Malgré toutes mes crises de larmes causées par les bobos et les jouets brisés, on était très proches et on s'aimait très fort.

Plus jeune que moi de trois ans, Mélissa était mon autre partenaire de jeu. Petite fille joyeuse aux cheveux châtains et aux yeux bruns pailletés de vert, elle m'accompagnait dans toutes mes folies d'enfant. On passait nos journées à se créer des mondes imaginaires. On était des docteurs qui tentaient de vaincre des maladies mortelles ou, la nuit, des petites souris qui essayaient de s'échapper sans se faire prendre par les géants. On était aussi des princesses qui attendaient patiemment le moment où un prince charmant viendrait les délivrer du méchant dragon cracheur de feu ou encore des diplômées de l'université qui parlaient plusieurs langues étrangères et étaient destinées à un avenir plus que prometteur. Mélissa était ma petite sœur, ma protégée, je lui vouais tout l'amour qu'une grande sœur peut éprouver pour sa cadette.

Mike, le benjamin de la famille, est né lorsque j'avais sept ans. Ces années d'écart ont fait en sorte que mes souvenirs d'enfance avec lui sont moins nombreux, mais je ne l'ai pas moins aimé pour autant. Je me souviendrai toujours du jour où maman est revenue à la maison avec ce petit bout de chou aux cheveux roux flamboyants et aux yeux bleus, de ce moment où je l'ai pris maladroitement dans mes bras alors qu'il dormait encore, de cet instant où il s'est réveillé en posant sur moi un regard rempli de douceur et de curiosité, de cette seconde précise où mon cœur a été conquis et où je me suis promis de veiller sur lui comme sur la prunelle de mes yeux.

Je me souviens également de mon père, Henri, un grand homme aux cheveux bruns et aux yeux bruns insondables. Il travaillait beaucoup pour subvenir aux besoins de sa famille, mais, lorsqu'il était en congé, il prenait le temps de s'amuser avec nous, ses enfants. Déjà toute jeune, il m'emmenait faire des randonnées en tout-terrain. Ces escapades m'apportaient tant de joie, cette vitesse qui m'apparaissait si grande, le visage fouetté par le vent tiède, cette impression de voler librement comme seuls les oiseaux savent le faire, ce sentiment de partager des instants uniques et mémorables entre père et fille.

En dépit de l'amour inconditionnel qu'il nous portait, il lui arrivait souvent de crier après nous. On était terrifiés à l'idée de le décevoir ou de le fâcher. Tous les soirs, une heure avant le retour d'Henri à la maison, notre mère nous avertissait : il était temps pour nos amis de partir et, pour nous, de ranger soigneusement nos jouets à leur place bien précise. Il fallait absolument que rien ne traîne et qu'on soit redevenus calmes pour qu'aucune chicane n'explose.

Aujourd'hui, je sais pertinemment qu'il n'agissait pas ainsi pour être méchant. Le père d'Henri, mon grand-père, travaillait sur la route ; il était donc rarement chez lui. Et sa mère semblait préférer les allocations versées par le gouvernement à ses enfants. Selon mon père, il n'y avait aucune discipline – ou si peu – au sein de leur foyer. Je crois que si Henri se montrait aussi intransigeant, c'est parce qu'une figure paternelle ainsi qu'une autorité parentale lui avaient manqué. Comme s'il comblait ses propres carences... Mais en dépit de toutes les disputes, des réprimandes, des punitions, notre père nous aimait plus que tout au monde. Et on le savait.

Entre ma première et ma deuxième année d'existence, ma mère s'est rendu compte que j'étais différente de son autre enfant. Au même âge, Derrick était sans cesse sous ses jupes, en quête de la tendresse et du réconfort qu'une mère donne allègrement. Pour ma part, j'étais une gamine qui restait dans son coin, qui ne semblait pas rechercher l'attention. Du moins, c'est ce que ma mère a cru – c'est ce que tout le monde a cru, d'ailleurs.

Je sais aujourd'hui, après avoir discuté avec des thérapeutes, que, au contraire, j'avais doublement besoin d'attention. J'étais une toute petite fille insécure, qui avait besoin d'encore plus d'amour parce qu'elle se sentait d'emblée rejetée, même si elle n'en laissait rien paraître. J'étais sans doute plus fragile que ma sœur et mes frères, et peut-être prédisposée à développer certains troubles de santé mentale.

J'ai donc grandi avec l'impression nocive que je n'étais assez bien pour personne, que je ne méritais l'amour de personne.

Plus le temps passait, plus je me renfermais. Plus je me renfermais, plus les gens s'éloignaient. Plus ils s'éloignaient de moi, plus je souffrais. Plus je souffrais, plus je me renfermais. Encore et encore. Sans m'en rendre compte, je m'enfonçais dans un cercle vicieux infernal, d'où j'aurais tant de difficulté à m'extirper. J'ignorais alors ce qui m'attendait...

Puis j'ai atteint l'adolescence, période de la quête de son identité et de sens à son existence. À cette époque-là, on habitait un petit bungalow à Repentigny, sur la Rive-Nord de Montréal.

J'étais une jeune fille aux longs cheveux blond très clair et aux yeux bruns constellés de vert. Je ressemblais comme deux gouttes d'eau à ma mère : petite, menue, et qui semblait pouvoir être anéantie par le premier orage. Mais, comme pour ma mère, c'était une fausse impression.

Malgré mon jeune âge, mes formes commençaient à se voir, ce qui agaçait fortement mon père. En dépit de ma petite taille (1,57 m), et de ma minceur (53 kg), mes hanches étaient d'une belle rondeur et ma poitrine, assez généreuse. Les gens disaient de moi que j'étais une jolie jeune fille. Toutefois, je ne les croyais pas. Bien sûr, je remarquais les regards appuyés des hommes et des garçons. En fait, pendant un certain temps, ces regards m'ont même paru flatteurs, mais je n'avais encore rien compris.

J'étais une adolescente compliquée, avec un caractère fort. Beaucoup de frictions nous ont opposés, mon père et moi. Mais je dois dire, à ma décharge, que je n'étais pas l'unique responsable de nos altercations. Mon père avait son propre caractère fort.

Nos premières disputes ont souvent été causées par ma soif inassouvie de comprendre le sens de toute chose. J'étais une fille assoiffée de réponses. Je voulais tout savoir, tout comprendre. Je voulais comprendre le monde entier et, surtout, me comprendre moi-même. Sans y arriver. Je suis tombée dans un gouffre infini, où les questions tournoyaient sans cesse dans ma tête, à m'en donner des haut-le-cœur. Mon père, pour sa part, tenait à tout prix à avoir le dernier mot, sans devoir expliquer ses décisions ni accepter qu'on argumente. Comment aurait-on pu se comprendre, avec des bases aussi différentes ?

Toute ma vie, je me souviendrai du jour où je lui ai demandé la permission de me faire faire un piercing au nombril. J'avais douze ans, à ce moment-là.

– Papaaaaaaaaa !

– Oui ?

– Tu sais... Beaucoup de filles dans mes cours ont le nombril percé... J'aimerais beaucoup me faire percer, moi aussi.

– Pas question !

– Mais pourquoi ?

– Parce que.

– Mais les autres parents veulent !

– Je m'en fous, des autres parents ! Moi, j'veux pas ! À dix-huit ans, tu te feras percer ce que tu veux !

– C'est quoi, le rapport ? Pourquoi tu veux pas ?

– PARCE QUE ! C'EST TOUT ! PARCE QUE !

J'étais furieuse, après cette discussion. Pas parce qu'il avait refusé ma demande, mais parce que je ne comprenais pas ce qui motivait sa décision. Ce genre de dialogues, qui ne menaient nulle part sauf à des impasses, faisaient partie de mon quotidien, et je ne pouvais rien faire pour y remédier.

Les vraies engueulades, qui se sont faites de plus en plus fréquentes et brutales, ont commencé au début de mon secondaire 2. J'avais donc treize ans. Mon corps était celui d'une femme, ce qui décuplait l'inquiétude de mon père. Il est devenu plus strict que jamais avec moi. Quand je voulais dormir chez une amie, il devait parler d'abord avec les parents, et il rappelait le soir même pour s'assurer que j'étais bien là. Il me permettait rarement d'aller au cinéma, en soirée, avec mes amis. Il avait tellement peur qu'il arrive quelque chose à sa petite fille qu'il en est devenu surprotecteur.

Une de ces grandes explosions s'est produite quand mon père s'est convaincu que j'avais fumé du *pot* avec mon amie Kate. Il a piqué une telle colère qu'il ne m'a pas laissée placer un seul mot. J'essayais tant bien que mal de me défendre, de lui expliquer la situation, mais il ne voulait pas écouter, il ne pouvait pas écouter, car il voyait déjà noir. Il a crié des propos très blessants à mon endroit. Il a hurlé que je ne ferais jamais rien de bien, que je serais une moins que rien toute ma vie.

Ses paroles m'ont profondément heurtée. J'étais mortifiée. Sous le choc brutal causé par ces insultes, j'ai cru que mon cœur de fille allait être projeté hors de ma poitrine et se fracasser en mille morceaux sur le sol. Le plus triste, le plus terrible, c'est que je n'avais encore jamais rien fumé, mis à part des cigarettes. Peut-être, en effet, que je sentais le *pot*, mais ce n'était pas moi qui en avais consommé, c'étaient les amis avec qui j'étais. Comme d'habitude, mon père n'a rien voulu entendre.

À cet instant précis, j'ai pris la décision – consciemment et volontairement – de fumer mon premier joint pour donner une raison d'être à cette chicane, pour trouver un fondement aux paroles méchantes de mon père. Et je voulais lui tenir tête. Je voulais avoir raison et lui donner tort, pour qu'enfin il n'ait pas le dernier mot, pour qu'il regrette ses paroles, pour qu'il se sente coupable, pour qu'il se sente brisé comme moi je l'étais...

Bêtise dictée par le désir de se venger d'une adolescente blessée au rythme des flagellations émotives que provoquaient les questions sans réponses, les non-sens, les disputes et les insultes.

Peu de temps après, j'ai consommé pour la première fois. Je n'ai vraiment pas aimé les effets du *pot*. Je me suis sentie m'aplatir comme une crêpe sur le divan. Comme si une spatule géante était en train de m'écraser. Je fusionnais littéralement avec le divan, j'étais *devenue* un divan. Ma vision était embuée, comme les verres de lunettes lorsqu'on sort d'une voiture chauffée vers un extérieur enneigé et froid. J'avais la bouche sèche et pâteuse, comme quand on fait une compétition, enfants, de celui ou celle qui mange le plus de biscuits soda. Mon corps était tout engourdi, comme si des milliers de fourmis couraient le long de mes membres. Mes pensées n'avaient plus de sens. Je ne pouvais plus réfléchir normalement. Je flottais dans un autre monde, un monde ouateux et confus, où les jeunes se retrouvent pour rire sans aucune raison, manger des brownies glacés au beurre d'arachide et boire des boissons gazeuses. Mon amie Kate jasait en s'esclaffant avec son ami Jérémie tandis que, moi, je fixais le mur en me demandant comment les murs pouvaient être si droits. Leurs rires retentissaient dans ma tête. L'écho de leur amusement se frayait un chemin jusqu'à mon cœur. Tout d'un coup, je me suis sentie vraiment mal. J'étais persuadée qu'ils se moquaient de moi.

D'aussi loin que je me souvienne, j'ai toujours eu l'impression que les gens riaient de moi, qu'ils se foutaient de ma gueule. Je n'oublierai jamais ce jour où je m'étais enfuie en pleurant parce que j'avais vu mes deux amies de l'école primaire se parler à l'oreille et pouffer de rire ; j'avais aussitôt cru qu'elles parlaient de moi et qu'elles me ridiculisaient. Des années plus tard, ma mère m'a affirmé que je m'étais imaginé cette histoire. Ce jour-là, elle était allée discuter avec les fillettes et leurs parents. La vraie version : elles discutaient seulement d'une chose bien innocente qui les avait fait rire joyeusement. Véritable paranoïa causée par une très faible estime personnelle.

Bref, pour en revenir à mon premier flirt avec la drogue, ma tête s'est mise à élancer, mes idées tourbillonnaient sans arrêt. Puis une vague de colère m'a submergée au point de me faire chavirer dans un état de fureur totale, mais j'ai tout enfoui au plus profond de mon être, comme d'habitude. J'ai intériorisé pendant plusieurs années, jusqu'à ce que je ne puisse plus me contenir et que j'explose. Ce soir-là, je me suis plongée dans un mutisme complet, en souhaitant devenir sourde et aveugle. C'est de cette façon que ma première expérience avec le *pot* s'est terminée. Et c'est ainsi que ma première expérience s'est transformée en habitude pour la simple et stupide raison que je voulais tenir tête à mon père, lui faire mal comme il me faisait mal.

Je me souviens d'une autre grande explosion avec mon père. C'était le 31 décembre de la même année, chez ma grand-tante Cécile, qui était comme une grand-mère à mes yeux. Ce soir-là, j'avais mon téléavertisseur tout neuf sur moi. J'avais dû garder des enfants à plusieurs reprises pour pouvoir me l'offrir. Pendant que les adultes jouaient aux cartes dans la cuisine, mes frères, ma sœur et moi étions dans le salon en train de jouer à un jeu vidéo.

À un certain moment, j'ai reçu un message numérique sur mon téléavertisseur. J'ai donc appelé Ricky, le garçon qui venait de m'envoyer ledit message. On s'était connus sur un site de clavardage trois mois plus tôt. Il avait dix-sept ans. On ne s'était jamais vus dans la réalité et on n'avait pas l'intention de se rencontrer non plus. On était juste des amis qui, de temps en temps, discutaient de choses anodines. On était justement en train de se raconter des anecdotes banales quand mon père est entré dans le salon. J'ai tout de suite vu qu'il me fusillait du regard.

– À qui tu parles ?

– À un ami.

– QUI ?

– À Ricky !

– C'EST QUI RICKY ?

– Un ami de l'école, ai-je menti.

– Raccroche ! C'est le jour de l'An, c'est pas le temps de parler au téléphone !

– P'pa ! Qu'est-ce que ça peut ben faire ?

– Je m'en fous ! Raccroche tout de suite !

Il a alors traversé la pièce comme une balle. Tout s'est passé si rapidement qu'on aurait dit qu'il s'était téléporté jusqu'à moi. Il a agrippé le combiné, me l'a arraché de la main, puis il l'a raccroché brusquement.

– Hé ! Pourquoi t'as fait ça ?

– PARCE QUE !

Puis il est sorti de la pièce en trombe, me laissant ébahie, avec un sentiment d'incompréhension mêlé de frustration. J'ai entendu ma grand-tante Cécile blâmer mon père, comme chaque fois qu'elle jugeait ses réactions et agissements disproportionnés ou injustifiés. J'entendais aussi mon grand-oncle Jacob, ma tante Carolanne et ma mère qui désapprouvaient également mon père.

Plus tard, une fois rentrés à la maison, je me suis réfugiée dans ma chambre, mon père sur les talons. Il pestait contre ma mauvaise attitude, contre ma mauvaise humeur, mes agissements, qu'il jugeait stupides et irréfléchis. En fait, je crois plutôt qu'il fulminait, inconsciemment, contre sa propre crainte de voir sa fille être blessée ou agressée par un dangereux inconnu.

Mais, bien entendu, par orgueil mal placé, je lui ai tenu tête. J'ai rouspété avec insolence, j'ai élevé la voix pour enterrer la sienne.

La terre s'est alors mise à trembler, le tonnerre s'est mis à gronder, le vent s'est mis à siffler, menaçant, les arbres ont commencé à se faire déraciner. L'apocalypse se pointait à notre porte, le début de la fin du monde avait sonné.

Mon père s'est mis à hurler si fort que ma mère, complètement paniquée, est descendue dans ma chambre pour voir ce qui se passait. Ce qu'elle a vu l'a d'autant plus effrayée, car elle est arrivée à l'instant même où mon père s'élançait pour me gifler. Le bijou qui ornait discrètement ma narine a déchiré ma peau, puis une goutte de sang est apparue. Ma mère s'est alors glissée entre nous pour nous séparer, mais même un soldat bien entraîné n'y serait jamais parvenu.

– Esti de traînée ! Tu feras jamais rien de ta vie !

C'était devenu ses insultes de prédilection. Il les répétait souvent, sans que j'aie jamais compris pourquoi. Peut-être craignait-il réellement que je ne fasse jamais rien de ma vie...

– Ben oui, c'est ça ! Pis moi, je souhaite que tu crèves ! T'es un esti de trou de cul ! ai-je riposté avec hargne.

Ma mère, totalement apeurée, a déguerpi vers le téléphone pour appeler le 911. Au bout d'un moment qui m'a paru très long, les policiers sont arrivés, mettant enfin un terme à un échange d'injures destructeur. Ils ont réussi à calmer la tempête. L'apocalypse a pris une pause. À la fin de cette soirée, mon téléavertisseur s'est retrouvé au fond de la rivière qui longeait la ville où nous habitions. Mon père était sûrement satisfait, mais moi j'affichais une tête d'enterrement.

Les engueulades entre mon père et moi étaient déjà très fréquentes, et elles ne cessaient d'empirer. Plus on se disputait, plus notre colère s'amplifiait. Plus notre colère prenait de l'ampleur, plus on avait envie de se venger. Plus on voulait rendre à l'autre la monnaie de sa pièce, plus les affrontements s'aggravaient. On était prisonniers de ce cercle vicieux, à tel point qu'il nous était impossible d'entrevoir une issue.

Au cours de cette période, le temps filait à une vitesse extrême. On était presque emportés par les bourrasques provoquées par le déplacement du temps dans l'air. Ce « cyclone père-fille » a laissé derrière lui des scories funestes, de celles qui nous blessent lorsqu'on se les remémore.

Pendant deux ans, de mes douze à quatorze ans, mon père a passé presque tous ses temps libres à hurler après moi, à se répandre en invectives et à me pousser physiquement. Il se montrait d'une sévérité maladive. Je n'avais absolument aucune latitude. Je devais suivre tous ses règlements insensés à la lettre. Si, par malheur, j'arrivais en retard de trois minutes sur mon couvre-feu, si j'osais demander pour quelle raison je ne pouvais pas dormir chez une amie, si je voulais réchauffer un plat dans le four à micro-ondes après l'heure du souper, si je buvais un verre de trop de son jus d'orange préféré ou si j'essayais seulement d'émettre une opinion, il entrait dans une colère noire. Systématiquement.

Les chicanes éclataient pour un simple « oui » ou un simple « non ». Ma mère accourait aussitôt afin d'intercéder pour sa fille, car elle savait très bien que les colères d'Henri pouvaient être disproportionnées ou inappropriées. Tristement, les efforts de Charlotte pour endiguer les dégâts entraînaient l'effet contraire : l'engueulade entre mon père et moi s'intensifiait parce que ma mère criait par-dessus nos cris, puis la rage d'Henri se retournait contre Charlotte, insultes et menaces de divorce s'ensuivant. L'atmosphère à la maison était extrêmement pesante. Surtout que les années précédentes s'étaient déroulées pratiquement de la même façon entre mon père et mon frère aîné (Derrick avait quinze ans, moi treize, Mélissa onze et Mike, cinq).

Voyant cela, ma mère a fixé un rendez-vous avec une psychologue pour une thérapie familiale entre elle, mon père et moi. La thérapeute nous rencontrait parfois séparément, parfois tous les trois réunis. Lorsqu'on avait une rencontre de famille, ça se passait généralement selon un schéma répétitif : ma mère parlait ouvertement de nos discordes, mon père protestait ou ergotait, et moi j'avais peine à dire plus de quelques phrases sans fondre en larmes. Malheureusement, cette tentative de réconciliation a lamentablement échoué.

En effet, un certain jour, la psychologue a dit à mon père – en rencontre individuelle – qu'il avait sans doute un trouble de la gestion des émotions. Mon père, qui était alors incapable d'admettre ses torts, s'est mis en rage contre la thérapeute. Selon lui, on avait tous un problème, y compris la psychologue Mais pas lui... Cette rencontre a été la dernière.

C'est la psychologue elle-même qui a raconté à ma mère le déroulement navrant de cette rencontre, car elle devait lui expliquer pour quelle raison Henri ne participerait plus à la thérapie. Charlotte était épuisée et désespérée. Moi aussi. On n'est pas retournées consulter, ma mère et moi, puisque le problème concernait surtout la relation entre mon père et moi.

Notre famille était en train de se décomposer lentement, mais sûrement. Cette famille pour laquelle ma mère remuait ciel et terre, qui la portait à bout de bras, qui souhaitait par-dessus tout nous garder unis. Depuis notre plus jeune âge, Charlotte nous répétait qu'une famille se doit d'être unie, que c'était la valeur la plus importante à intégrer et à défendre. Mais pour qu'elle soit pleinement profitable, la valeur familiale doit être comprise, partagée et prônée par tous les membres d'une même famille.

Ce qui n'était pas tout à fait notre cas puisque Henri, inconsciemment et involontairement, séparait les membres de notre famille à force d'altercations et d'outrages...

Chapitre 3

Pour échapper à la souffrance,
le plus souvent on se réfugie dans l'avenir.
Sur la piste du temps,
on imagine une ligne au-delà de laquelle
la souffrance présente cessera d'exister.

Milan Kundera

L'année de mes quatorze ans, je me suis réveillée, un matin du mois de mars, avec, au fond du cœur, une angoisse insoutenable. Le désespoir me rongeait de l'intérieur. Je devais faire quelque chose. Je ne savais pas quoi, mais j'étais convaincue que je devais agir.

Une idée m'a soudain traversé l'esprit. J'ai cherché sur Internet le numéro de téléphone de la Direction de la protection de la jeunesse. J'ai attrapé le combiné avec une nouvelle énergie, enivrée par un espoir inattendu, l'espoir d'une lueur dans l'obscurité de ma vie. J'ai composé le numéro, puis les sonneries se sont mises à résonner dans mon oreille, rinnng, rinnng, rinnng, rinnng – musique réconfortante et apaisante puisque j'imaginais tous mes problèmes réglés d'un coup de baguette magique.

– Bonjour, ici Denise Vaillancourt, travailleuse sociale de la Direction de la protection de la jeunesse. Comment puis-je vous aider ?

– Bonjour, je m'appelle Arielle Desabysses. J'aimerais que la DPJ prenne mon cas en main.

– Que se passe-t-il, mademoiselle ?

– Ben, depuis...

Ma voix s'est brisée. J'ai éclaté en sanglots, versé des torrents de larmes. Ça faisait des siècles qu'une personne s'était intéressée à comment j'allais. Oui, Charlotte essayait de m'aider, de me soutenir, mais je n'avais pas l'impression qu'elle m'écoutait pour vrai, qu'elle s'intéressait réellement à mon état d'être puisqu'elle finissait toujours par s'incliner devant Henri.

– Mon père est souvent très méchant, il me hurle toujours après. J'ai si mal à l'intérieur de moi. Il m'aime pas, il aurait souhaité avoir une autre fille que moi. J'ai pas ma place dans cette famille. Je suis toute seule. Je me sens vide. J'ai juste envie de mourir. Aidez-moi, s'il vous plaît !

– D'accord, ma petite. Prends une minute pour retrouver tes esprits.

– OK...

– Quelle est ta date de naissance, Arielle ?

– Je viens d'avoir quatorze ans, le 17 janvier.

– Parfait. Laisse-moi vérifier si nous avons un dossier à ton nom.

Pendant que j'étais en attente, mes émotions se heurtaient violemment entre elles. J'avais envie de sauter de joie, de vomir, de chanter à tue-tête, de me taillader les poignets, d'éclater de rire, de hurler de rage.

– Arielle ? Je viens de vérifier dans le système et il semble qu'il n'y a jamais eu de signalement à ton sujet.

– Je sais, mais vous pouvez en faire un maintenant !

– Oui, bien sûr, mais il faut que tu comprennes que, avec un seul signalement, ton dossier va se retrouver en bas de la liste...

– Faque, vous êtes en train de me dire que mon cas est pas assez grave pour que vous vous occupiez de moi ?

– Je dirais pas ça de cette façon, mais...

– Mais c'est ça qui est ça !

J'ai coupé brutalement la communication, en proie à une détresse insupportable, me sentant plus seule que jamais. J'ai fermé les yeux pour faire taire les hurlements dans ma tête. J'ai supplié la mort de venir me chercher, là, comme ça, pour que mon tourment cesse enfin, pour que ma souffrance ne puisse plus s'acharner sur mon âme.

Lorsque la nuit est tombée, couchée en étoile dans mon lit, j'ai ressassé la discussion que j'avais eue avec la travail-leuse sociale. Je savais que je devais tenter autre chose, mais j'ignorais quoi. Il fallait agir, réagir, faire bouger les choses, provoquer le destin, me battre sur tous les fronts. La douleur me dévorait littéralement. Je devais partir, m'éloigner, avant qu'il ne soit trop tard. C'était une question de vie ou de mort, j'en étais persuadée. Je devais fuir avant que les ténèbres me possèdent tout entière.

Le lendemain matin, cette idée ne m'avait toujours pas quittée. Au contraire, elle s'était incrustée dans mon cerveau. Je me suis levée, mais j'ai eu l'impression que mon âme ne suivait pas mon corps, comme si elle était restée étendue sous les couvertures, alors que je me tenais debout, à côté de mon lit. Avec une curiosité morbide, j'observais mon corps qui remplissait mon sac à dos de vêtements. Mon âme, plus légère que l'air, contemplait la scène avec un détachement effrayant.

Dédoublement vivifiant, dissociation sécurisante, dépersonnalisation lénifiante, la tête qui se sépare du corps pour fuir l'atroce réalité, le corps qui continue ses activités malgré tout, coupure, division, retranchement, technique ultime de survie.

Avant même que je comprenne ce qui était en train de se passer, je me suis retrouvée dehors, mes bottes dans la neige, mon sac sur l'épaule, mes pas me dirigeant vers le terminus d'autobus au lieu de me mener vers l'arrêt de l'autobus scolaire, avec seulement trois dollars en poche. Charlotte ne s'était rendu compte de rien puisque j'avais quitté la maison à l'heure habituelle, avec le même sac à dos et le même « au revoir ». Après une heure et demie de marche, je montais dans un autobus en direction de Montréal.

Je me suis assise sur un banc, les yeux perdus dans le néant, mon esprit rattaché de nouveau à mon corps, avec une sensation étrange au milieu de ma cage thoracique, non pas de la peur, mais plutôt une sorte de désarroi combiné à une certaine griserie. L'autobus s'est arrêté au terminus Henri-Bourassa. J'ai inspiré, puis j'ai expiré, assaillie par des émotions contradictoires.

J'ai serré les poings et je suis sortie de l'autobus.

« Vas-y, Ari, tout va bien aller, tout va être mieux, tu dois provoquer le destin. »

Chapitre 4

Mieux vaut se tromper en agissant que de refuser d'agir.
La stagnation est pire que la mort, elle est aussi corruption.

William Gilmore Simms

J'ai déambulé dans les rues de Montréal-Nord pendant un long moment, sans savoir ce que je cherchais.

On m'a souvent dit que je faisais des choses insensées, que je prenais des décisions inconsidérées, et c'est vrai. Encore aujourd'hui, il m'arrive de répondre impulsivement à mes émotions. J'ai fait des choix absurdes seulement pour agir, pour réagir, pour provoquer les événements. J'ai le piétinement en horreur. Je déteste les choses qui ne changent pas, qui ne bougent pas. J'ai foi en la nécessité d'avancer. La vie ne nous est pas donnée pour qu'on recule. Vivre nous donne l'obligation d'avancer. Quand on voit le jour, on se doit de grandir. Quand on grandit, on se doit d'avancer. Irrévocablement.

Donc, en effet, j'ai parfois pris des décisions inconsidérées, mais je n'ai jamais arrêté d'avancer. Quelquefois, les routes que j'ai parcourues m'ont menée à des culs-de-sac et j'ai dû rebrousser chemin, complètement désespérée. Parfois, des nouvelles routes m'ont guidée vers des paysages époustouflants où j'ai vécu des moments inoubliables. Et d'autres fois, des nouveaux sentiers m'ont conduite vers des terres arides et lointaines, où j'ai cru que j'allais mourir de solitude. Mais quel que soit le chemin que j'ai fréquenté, je ne suis jamais restée immobile. Peut-être que je ne sais pas faire les bons choix. Peut-être que je me laisse un peu trop flotter au gré du vent. Peut-être que je suis effectivement insensée. Mais tous les chemins mènent à Rome, non ?

Revenons à ce mois de mars de mes quatorze ans. Lorsque le jour a commencé à décliner, j'étais frigorifiée et totalement désorientée après avoir erré pendant des heures. Je me suis étendue sur un banc de parc, en serrant mon sac à dos contre ma poitrine pour tenter de me réchauffer. Puis, tranquillement, mes pensées se sont estompées pour laisser place à un sommeil agité. Je ne sais pas exactement depuis combien de temps je dormais, mais des voix m'ont tirée du sommeil. J'ai ouvert les yeux et j'ai aperçu un homme, aux cheveux brun foncé, qui fouillait dans mon sac.

– Hé ! Qu'est-ce que tu fous là ? C'est mon sac !

Il s'est retourné vers moi et m'a foudroyée du regard. Au même moment, j'ai remarqué un autre homme, un blond, à côté de moi, en train de me fixer méchamment.

– Qu'est-ce que t'as dit, ma princesse ?

54

Les deux inconnus se sont mis à ricaner en échangeant un regard cruel. J'ai senti la peur me gagner. J'ai bondi, prête à m'enfuir, mais le brun m'a repoussée violemment contre le banc. Puis il s'est penché sur moi ; son souffle sentait l'alcool et le tabac. En pleurant, je les ai suppliés de me laisser tranquille. Mais qu'est-ce qu'ils en avaient à faire, de mes supplications chevrotantes ? Le blond a empoigné fermement mes bras et les a plaqués contre le banc pendant que le brun déboutonnait mon jeans. Je me suis débattue farouchement, mais ils étaient trop forts et trop lourds pour que je réussisse à les pousser et à me sauver. J'ai alors senti toutes mes forces m'abandonner. Mon courage m'a, lui aussi, désertée. Terrorisée, j'ai déclaré forfait. J'ai fermé les yeux et j'ai prié l'ange de la mort pour qu'il vienne me chercher, là, tout de suite, avant que mon innocence disparaisse en même temps que ma virginité.

Puis la coupure s'est faite. Véritable séparation du corps et de la tête, conscience déconnectée du monde réel, dissociation de l'âme et de l'esprit. Je ne sais pas exactement tout ce qui s'est passé pendant ma retraite fictive, mais, au cours des années qui ont suivi, des parcelles de cette nuit-là sont revenues me hanter dans mes cauchemars. Sanglots. Menaces. Coups de poing en plein visage. Étourdissements. Douleur lancinante de mon pubis jusqu'au fond de mon ventre. Mains puissantes autour de mon cou. Suffocation. Mal cuisant à ma gorge. Implorations inutiles. Supplice barbare et inoubliable.

J'ignore combien de temps je suis restée là, le regard embrumé, les genoux dans la neige, le front appuyé contre le banc gelé, le vent glacial qui soufflait sur mes jambes et mes fesses nues, le sang qui perlait entre mes cuisses. Le temps ne filait plus, il s'était arrêté. Mon cerveau ne fonctionnait plus. Mes larmes ne coulaient plus. Ma tête était complètement vide. Mon corps était vide. Mon âme était vide. Les gens étaient vides. L'Univers était vide. Tout était entièrement vide. Vide de valeur, vide de morale, vide de sens.

Au bout d'un moment – dont j'ignore la durée –, ma tête s'est rattachée à mon corps. Le temps a repris son cours. J'ai cligné plusieurs fois des yeux, comme lorsqu'on croit avoir aperçu, la nuit, un monstre dans la garde-robe, la tête remplie de frayeurs, pour chasser la bête imaginaire.

L'espace d'une seconde, j'ai cru naïvement que ciller chasserait les démons et que je me rendrais compte que tout ça n'avait été qu'une hallucination. Malgré ma pitoyable tentative, la scène est demeurée la même : j'étais toujours à genoux dans la neige souillée par mon sang et le sperme ignominieux.

J'ai recommencé à pleurer, et, cette fois, d'une abondance qui frôlait l'infini. Pauvre petite fille seule, isolée dans un monde en putréfaction, misérable petite fille aux allumettes, perdue dans une ville pourrie. Les larmes d'une affliction inégalable s'échappaient par mes yeux. Mon souffle tremblotant se sauvait par ma bouche. J'avais la terrible sensation que la vie fuyait mon corps. Je tremblais d'épuisement, physique et émotif.

J'ai remonté délicatement mon jeans et je me suis remise tranquillement sur mes deux pieds. J'ai ramassé mes vêtements, éparpillés sur le sol, puis j'ai quitté le décor du premier acte de ma tragédie, ce plateau ténébreux et maudit à proximité de la rue Monselet.

En début de matinée, au bout de mon errance, je me suis assise sous le porche d'un salon de coiffure, puis j'ai allumé une cigarette. Je crois sincèrement que cette clope a été la meilleure, la plus calmante, la plus rassurante de toute ma vie. La fumée, qui pénétrait dans mes poumons, me remplissait de réconfort. Le léger picotement qu'elle produisait le long de ma gorge me donnait la sensation que la vie habitait toujours mon être, que je n'étais pas encore morte.

Pendant que je me raccrochais au filet de vie de la fumée de ma cigarette, un jeune homme est sorti du salon de coiffure. Grand, environ 1,83 m, il avait une bonne carrure, des yeux et des cheveux brun foncé. Il était d'origine arabe. Ni beau ni laid, plutôt dans la moyenne. Il devait avoir plus ou moins vingt-cinq ans. Il m'a regardée et m'a souri. J'ai eu mal au cœur à la seule vue de ce sourire. Comment pouvait-on sourire dans un monde aussi sinistre ?

– Salut ! Ça va ?

– Euh... Je sais pas...

– Oh... Qu'est-ce qui va pas ?

– J'suis fatiguée...

Ma gorge s'est alors nouée, je me suis remise à sangloter de nouveau. Ma tristesse et ma douleur étaient si grandes qu'elles me grignotaient de l'intérieur.

– OK... C'est quoi ton nom ?

– Arielle.

– Moi, c'est Djafar.

Puis il s'est assis à côté de moi.

– Sois pas si triste, ça doit pas être si grave, tout s'arrange dans la vie.

– Non, pas toujours.

– Dis-moi ce qui se passe.

– Je viens de fuguer de chez moi... Mon père me déteste et je le déteste aussi... Je suis toute seule... Je sais pas quoi faire... J'ai nulle part où aller... Mais j'veux pas retourner à la maison, j'veux pas revoir mon père. Il va hurler qu'il avait raison, qu'il me l'avait dit, et il va vouloir me tuer. Je dois disparaître... pour de bon...

Depuis que je suis toute jeune, j'ai de la difficulté à parler de mes émotions, de ce qui mijote dans ma tête. Encore aujourd'hui, c'est exactement la même chose. Je ne sais pas pourquoi je me suis confiée d'emblée à Djafar. Sans doute parce qu'il est plus réconfortant de croire qu'il existe une oreille qui souhaite nous écouter au lieu de rester là à piétiner dans l'immensité obscure de la solitude...

– Wow... OK... Écoute, si tu veux, tu peux rentrer avec moi au salon. Je te ferai une teinture, comme ça, tu risques moins de te faire reconnaître.

Et j'ai accepté. Ça faisait déjà quelques mois que je suppliais mes parents pour pouvoir me faire une coloration capillaire. Je rêvais depuis très longtemps d'avoir les cheveux d'un rouge flamboyant, comme la petite sirène dans mon film favori. Mais, jeune et innocente comme j'étais, et malgré le drame que je venais de vivre, qui s'inscrivait dans une bulle hors du temps et de la réalité, j'étais loin de me douter qu'il prendrait avantage de ma détresse.

Une fois entrés dans le salon de coiffure, il m'a montré l'assortiment des couleurs disponibles. À ma grande déception, le rouge dont je rêvais ne faisait pas partie des choix. J'ai donc opté pour la couleur qui s'en rapprochait le plus : un roux tapageur. Djafar a appliqué la coloration sur mes cheveux et, trente minutes plus tard, il les a lavés. Lorsque je me suis regardée dans le miroir, j'ai éprouvé une satisfaction perverse à la pensée que mon père mourrait sûrement étouffé de rage s'il voyait ma nouvelle tête. J'ai alors adressé un pâle sourire à mon reflet. Puis je me suis attardée au reste de l'image. Des ecchymoses couvraient mon cou, j'avais un œil au beurre noir et ma lèvre supérieure était tuméfiée. Preuves irréfutables de la bestialité que j'avais subie.

Après le quart de travail de Djafar, vers dix-sept heures, il m'a emmenée manger un morceau à son appartement, situé quelques rues plus loin. J'avais la peur qui palpitait au fond de mes tripes, mais, dans ma tête de fille gentille et innocente, il était impossible – catégoriquement – que je rencontre une deuxième mauvaise personne en l'espace de si peu de temps.

Il a déposé une assiette de riz devant moi. Le dégoût m'a retourné l'estomac, et j'ai senti monter la nausée. Je me suis levée brusquement pour me précipiter dans la salle de bains. Les vomissements me comprimaient le cœur. Ou peut-être que ce qui me serrait le cœur, c'était l'impression horrible que mes espoirs de trouver le bien-être que je cherchais depuis tant d'années sortaient de moi en même temps que les vomissures.

J'avais toujours imaginé le moment où je perdrais ma virginité : un instant magique et enchanteur avec le garçon de mes rêves. Jamais, jamais, jamais, l'idée ne m'aurait même effleurée que je serais déflorée contre ma volonté, sur un banc de parc sale et froid. Je me sentais crasseuse et honteuse. J'ai prié bêtement le ciel de venir à mon secours, qu'il vienne me laver de mes fautes dégradantes. Pendant de très longues minutes, je suis restée là, pantelante, à genoux devant la cuvette, à fixer la peinture jaunie par le temps. Puis je suis sortie de la pièce, chancelante comme une ivrogne.

Djafar m'a lancé un regard sombre et mystérieux, que j'étais alors incapable de déchiffrer, d'interpréter. Il m'a offert un verre de vodka et jus d'orange. Je l'ai bu d'une seule traite pour noyer mon désespoir. Il m'en a servi un deuxième, mais je l'ai bu avec un peu moins de hâte. Mon esprit a commencé à vagabonder et ma vigilance, à s'affaiblir. Je ne sais pas exactement pourquoi. Peut-être parce que je n'étais pas habituée à l'alcool. Encore moins à l'alcool combiné à un état de fatigue extrême, tant physiquement que psychologiquement, et à un estomac vide. Ou peut-être que Djafar avait mis des substances illicites dans mon verre. Je ne le saurai jamais. Quoi qu'il en soit, j'ai senti mes forces se retirer tranquillement de mon corps. Une vague de fatigue a déferlé sur moi, mes mains sont devenues moites, ma vision s'est embrouillée, comme si j'étais enveloppée par une nappe de brouillard toxique.

Après je ne sais combien de secondes, de minutes ou d'heures, le temps ne signifiant plus rien pour mon cerveau ramolli, mon corps a été transporté jusqu'à un étrange nuage douillet. Mes yeux ont entrevu une silhouette se pencher au-dessus de moi. Soudain, des frissons ont parcouru ma peau. J'ai senti une brise fraîche glisser sur moi. J'ai alors compris : j'étais nue dans un lit. J'ai voulu me redresser, mais mes forces m'avaient désertée. Une masse s'est écrasée brusquement contre moi. Terrorisée, j'ai voulu hurler, mais seul un faible son plaintif est sorti de ma bouche. J'ai voulu crier ma haine et ma rage, mais seules des syllabes incohérentes ont franchi mes lèvres. Des larmes d'impuissance ont coulé de mes yeux. C'était mieux que rien. Au moins, quelque chose d'humainement reconnaissable pouvait encore sortir de mon corps engourdi et intoxiqué.

Une barre monstrueuse a écarquillé mon sexe, des mains trituraient sauvagement mes seins. Cette chose en moi broyait ma chair, pulvérisait mon ventre. De mes mains molles et maladroites, j'essayais de repousser cette masse qui me pressait contre le matelas, mais j'étais trop sonnée pour réussir à me soustraire à cette torture. Encore une fois, ma tête s'est séparée de mon corps. Prise de peur devant ce spectacle ignoble, mon âme a fui le lieu du crime.

Lorsque les brumes de l'alcool et de la drogue se sont dissipées, ma tête a repris sa place habituelle. Je me suis découverte couchée à plat ventre sur l'asphalte glacée d'une ruelle. Échouée, comme une épave rejetée par la mer. Ma tête bourdonnait, mes articulations étaient raides comme des tiges de métal. J'ai poussé avec mes bras pour me relever, mais je me suis aussitôt écrasée sur le sol. J'avais le cœur au bord des lèvres, mais rien à vomir, à part moi-même.

J'essayais de me rappeler comment j'avais pu aboutir ici. Je fouillais fébrilement ma mémoire, passant au peigne fin les souvenirs soigneusement enregistrés dans mon inconscient et filtrés par ma conscience. Tandis que je rendais les armes, épuisée mentalement, des réminiscences se sont frayé un chemin jusqu'à mon cerveau. Je me suis alors souvenue de certains fragments de cette nuit d'épouvante. Les détails manquants me sont revenus des années plus tard, lorsque les cauchemars prenaient mes nuits d'assaut.

La répulsion m'a alors galvanisée et m'a donné la force surhumaine de me remettre debout. Trop vite. Le monde s'est mis à tourner autour de moi, tout étourdie, me faisant cracher mes entrailles – pourtant vides, comme moi. Je me suis essuyé la bouche d'un revers de la main. J'ai plissé les yeux, car le soleil m'éblouissait, pénétrant dans mes pupilles comme une lame pointue.

Et j'ai titubé hors de cette ruelle qui me donnait envie de mettre fin à mes jours.

Chapitre 5

L'homme n'est qu'un animal à demi dompté,
qui pendant des générations a gouverné les autres
par la fourberie, la cruauté et la violence.

Charlie Chaplin

es néons clignotaient au-dessus de ma tête, l'odeur des désinfectants me piquait le nez. Mon corps me faisait atrocement souffrir. Le comptoir me soutenait. J'étais sûre que le plancher allait se dérober sous mes pieds et que j'allais tomber dans l'abîme qui mène tout droit à l'enfer.

J'ai levé lentement les yeux vers le miroir. Celui-ci m'a dévoilé un visage funèbre, qui faisait peine à voir. J'ai eu mal, comme si on m'assénait un coup de poignard en plein cœur. Comment une personne aussi jeune, une presque enfant, pouvait-elle avoir l'air d'une martyre de guerre ? Comment pouvait-on se montrer aussi abject avec ses semblables ? Comment avais-je pu être aussi ingénue, aussi naïve, et ne pas avoir compris que Djafar allait profiter de ma détresse ? Comment un être humain pouvait-il agir aussi inhumainement ? Comment un homme, *des* hommes, pouvaient-ils agir avec une telle cruauté, une telle violence, une telle obscénité ? Comment des hommes pouvaient-ils se conduire comme des monstres ? Comment une jeune fille comme moi avait-elle pu devenir cette loque ? En vingt-quatre heures ?

Une haine dévastatrice s'est répandue dans tous mes membres, dans tous mes organes, dans mon sang, jusqu'à en déborder de tous mes orifices. J'abhorrais les hommes, je les détestais, je les haïssais, je les aurais crucifiés vivants, mais je m'exécrais encore plus. Mes yeux continuaient de fixer d'un regard hanté mon reflet dans le miroir. Mes cheveux étaient sales et emmêlés, ma peau était luisante de sueur, mon teint, blafard. Les ecchymoses dans mon cou et autour de mon œil étaient toujours présentes, mais ma lèvre était un peu moins enflée. C'était mieux que rien. Au moins, mon apparence de fille déchue disparaissait peu à peu.

J'ai pris une bonne respiration et j'ai serré les poings.

« Vas-y, Ari, les choses ne peuvent vraiment pas être pires. Tout ne peut qu'aller mieux. Tu dois affronter le destin. Tu n'as pas le choix. »

Puis je suis sortie des toilettes.

J'ai choisi une table à l'écart, dans un des coins du restaurant, pour m'asseoir. C'était un petit bistro près de la rue Monselet, à Montréal-Nord, avec des tables en forme de carré au pied métallique. La serveuse est venue me demander ce que je voulais commander. Puisque je n'avais plus un sou, mes trois dollars ayant payé mon trajet en autobus vers Montréal, j'ai seulement pris un verre d'eau. De toute façon, je ne ressentais pas la faim, mon sentiment de vide intérieur se creusant de plus en plus une tombe dans mon estomac. J'ai entendu des chuchotements et j'ai tourné les yeux vers leur provenance. La serveuse était en train de discuter vivement avec ses collègues, qui me lançaient des regards furtifs. J'ai penché la tête et fixé le bout de mes bottes. Une fraction de seconde plus tard, la serveuse déposait le verre d'eau devant moi.

– Hum... Ma petite... As-tu besoin de quelque chose d'autre ? As-tu besoin d'aide ?

J'ai levé la tête vers elle et je l'ai regardée avec une sorte d'étonnement mélangé à de la reconnaissance. Les larmes picotaient mes yeux. J'ai soudain eu envie de me blottir dans ses bras et de tout lui raconter. Mais je savais pertinemment qu'elle contacterait la police ou, pire encore, mes parents. J'ai donc baissé les yeux sur la table en haussant les épaules :

– Non, madame, tout va bien, j'ai besoin de rien.

– Tu en es bien sûre ? Parce que tu sembles avoir des problèmes...

– Non, non, merci.

Elle est restée à côté de moi encore un peu, puis elle a tourné les talons pour aller servir les autres clients. Pour ma part, j'ai continué de fixer mon verre d'eau avec, au fond du cœur, une profonde lassitude. Au bout d'une éternité, j'ai bu une gorgée d'eau. Je me suis rendu compte que j'étais complètement déshydratée, et j'ai vidé mon verre avec avidité, comme si j'avais erré sous une chaleur torride pendant des heures. En déposant mon verre sur la table, j'ai remarqué un jeune homme qui me regardait bizarrement par-dessus son journal. Sur le coup, j'ai cru que ma photo avait déjà paru dans un article. La panique m'a alors gagnée. Sans réfléchir, je me suis levée et suis allée m'asseoir à côté de l'inconnu.

– Excuse-moi... Est-ce que je peux voir le journal, s'il te plaît ?

Avant même qu'il puisse me répondre, je lui ai arraché le journal des mains. Rapidement, j'ai parcouru d'un œil inquiet la page qu'il était en train de lire. Mes craintes se sont révélées infondées. Ni mon nom ni ma photo ne figuraient dans ces articles. J'ai soupiré de soulagement.

– Désolée... Il fallait que je voie quelque chose...

– Euh... C'est correct... Qu'est-ce qui t'est arrivé ?

– De quoi tu parles ?

– Ben... Ton cou, ton œil...

– Oh... Ouais... Disons que j'suis pas tombée sur une bonne personne...

– OK... Tu t'appelles comment ?

– Arielle, et toi ?

– Marc. T'as pas faim ?

– Euh... Je sais pas... Peut-être...

– OK, t'as envie de manger quoi ? C'est moi qui paye !

Il a commandé un club sandwich. Je l'ai dévoré à belles dents ; si j'en avais été capable, je l'aurais avalé d'une seule bouchée. Pas que j'étais affamée, mais mon corps, lui, semblait avoir besoin de nourriture.

– Faque tu veux-tu me dire ce qui se passe dans ta vie pour que ça te soit arrivé ?

– Ben, en gros, je suis partie de chez mes parents. Là, je suis dans la rue, pis c'est ça.

– Hum... T'as quel âge ?

– Dix-sept, ai-je menti.

– OK. Bon... Écoute... euh... Arielle, tu peux crécher chez moi le temps que tu trouves une place où habiter.

Je l'ai dévisagé avec méfiance. Ça se bousculait dans ma tête. Allais-je accepter et courir le risque qu'il soit, lui aussi, un monstre ? Allais-je refuser et risquer d'être encore agressée dans la rue ? Allais-je rentrer à la maison et affronter mon père ? Mes options n'étaient pas nombreuses, ni enviables. Finalement, j'ai accepté.

Nous avons marché jusqu'à son appartement. Une fois sur place, il m'a présenté ses colocataires, Éric et Robert.

De bonne carrure, Marc mesurait environ 1,80 m. Québécois d'origine, il avait les cheveux et les yeux bruns, les traits fins. Je lui donnais plus ou moins vingt-cinq ans. Un peu moins grand que Marc, mais sensiblement du même âge, Éric était d'origine sénégalaise. Il avait les yeux brun foncé et les cheveux noirs, des lèvres charnues et un nez épaté. Robert, qu'on surnommait Bob, venait de la Côte-d'Ivoire. Très grand – environ 1,90 m –, musclé, on aurait dit un dieu d'ébène sculpté au couteau. Il avait un corps parfait. Il devait approcher la trentaine.

Les présentations finies, Marc m'a donné une serviette pour que je puisse passer sous la douche. J'ai verrouillé la porte de la salle de bains derrière moi. Si j'avais pu glisser une chaise sous la poignée, comme dans les films, je l'aurais fait. Je me suis déshabillée comme une automate et je me suis glissée sous la douche. L'eau chaude coulait sur mon corps, m'entourant d'une vapeur légère. J'ai commencé à frotter ma peau avec le pain de savon.

Je frôlais la rupture psychique. Quelque chose ne fonctionnait pas dans ma tête. J'ai augmenté la chaleur de l'eau et je me suis remise à frictionner mon corps. L'eau est devenue quasiment bouillante ; une brume épaisse a rempli la pièce. J'ai alors plongé dans une sorte de transe vertigineuse. Les yeux perdus dans le néant, le cerveau complètement éteint, je frottais mon corps de plus en plus rapidement, en pressant le savon de plus en plus fortement contre mon corps, comme s'il pouvait effacer mes souillures, comme si cette eau bouillante noyait mes déboires, comme si, inconsciemment, je voulais me laver de tous les péchés de la Terre.

Au bout d'un long moment, mes yeux ont émergé du néant. J'ai alors pris conscience de ce que j'étais en train de faire. J'ai soudainement lâché le pain de savon en voyant les marques rougeâtres sur ma peau. J'ai fermé l'eau et je me suis hissée hors du bain. J'ai enlevé la buée du miroir, puis je me suis examinée sans ciller. Avec gravité, j'ai planté mon regard dans celui de mon double et je me suis promis à voix haute de ne plus être une proie aussi crédule et facile. De ne plus être une proie, point à la ligne.

Mais quel poids peut avoir une promesse faite par une enfant perdue dans un monde aussi hideux ?

J'ai enfilé des vêtements propres et je me suis maquillée, pour camoufler mon piteux état. Lorsque je suis sortie de la salle de bains, Marc m'a offert de me reposer sur le divan. Je me suis donc glissée sous la couverture qu'il avait mise sur le sofa et je me suis endormie dès que ma tête a touché l'oreiller.

À mon réveil, quelques heures plus tard, Marc et ses colocataires étaient assis dans la cuisine en train de fumer quelque chose dont je ne reconnaissais pas l'odeur. Je suis allée les rejoindre à la table.

— Bien dormi ? a demandé Marc.

— Ouais, ça fait du bien ! Qu'est-ce que vous fumez ?

— Un *juicy*, a répondu Éric.

— C'est quoi, un *juicy* ?

— Du *pot* avec de la coke.

Éric m'a tendu le joint et j'en ai pris quelques bouffées. Au bout de quelques minutes, tous mes sens se sont aiguisés. La lumière me semblait plus vive, le bruit de la circulation me semblait provenir de tout juste à côté de mon oreille, l'odeur des cigarettes que nous fumions me piquait soudainement les narines. Mon cœur battait plus vite que d'habitude et ma respiration se précipitait. Puis une chaleur intense m'a enveloppée. Je me sentais si bien, tout à coup ; une euphorie pure me gagnait. Je riais à la moindre parole prononcée.

Éric a roulé un autre *juicy*, qui a fait trois tours de table.

— Faque, tu viens d'où, Arielle ? a demandé Bob.

— De Repentigny.

– Et pourquoi t'es partie de chez tes parents ? a demandé Éric.

– J'étais malheureuse. Mon père est pas le genre de père normal et traditionnel. Il veut tout contrôler et, quand ça marche pas, il pète des coches. Je devais sortir de là.

Et j'ai pouffé de rire, de ce rire qui frôle la folie, ce gloussement qui fait grincer des dents par sa sonorité démentielle.

À cet instant-là, ma situation me paraissait tellement saugrenue, voire invraisemblable. Comment avais-je pu me rendre jusque-là ? Était-ce réellement ma destinée ? Pour quelle raison les forces cosmiques faisaient-elles preuve d'autant de malveillance à mon égard ? Je savais bien que l'Univers est constitué de magnificence et d'horreur et que nous devons tous endosser notre part respective de ces deux mondes opposés. La félicité et la détresse, le bien et le mal, le courage et la peur, la confiance et la déception, l'amour et le risque, la vie et la mort. L'un ne va pas sans l'autre. En fait, l'un ne peut exister sans l'autre. Tenter de les disjoindre serait un éternel échec. Quand on a l'un, on percute l'autre inévitablement.

Mais je croyais intimement avoir réglé ma part de négatif, je réclamais maintenant mon dû de positif. Je voulais goûter au bonheur, savourer tous ces moments de joie qu'on voit dans les téléromans américains, me délecter de toute cette tendresse qu'on retrouve dans les romans d'amour, de tous ces délices qu'on nous vend dans les contes de fées. Je voulais être enfin heureuse...

J'étais loin de me douter que la vie me réservait encore une longue facture de monstruosités.

– Faque, tu penses rester avec nous pendant combien de temps ? a demandé Bob.

– Je sais vraiment pas...

– On te presse pas, tu peux rester ici le temps que tu veux, a rétorqué Marc.

J'ai souri et j'ai pris une bouffée du *juicy* que me tendait Éric.

Après je ne sais combien de joints, aux petites heures du matin, on s'est couchés, Marc dans sa chambre, Éric sur un divan, Bob sur un fauteuil et moi sur un autre divan. J'ai eu beaucoup de difficulté à m'endormir ; la coke faisait encore effet. Les yeux fixés au plafond, mes pensées devenaient exponentielles. Elles virevoltaient dans ma tête comme si elles valsaient en solo sur un rythme endiablé ; elles pirouettaient si rapidement sur elles-mêmes qu'elles en perdaient l'équilibre et se cassaient la figure contre la piste de danse. J'étais incapable de donner un sens à toutes ces pensées tellement elles étaient nombreuses et instables. Totalement exténuée, j'ai fini par m'endormir malgré les derniers effets de la drogue.

Chapitre 6

En opposant la haine à la haine,
on ne fait que la répandre,
en surface comme en profondeur.

Gandhi

Depuis mon arrivée chez Marc, le temps ne s'écoulait plus normalement. Il défilait comme les scènes d'un film en avance rapide ; les images se confondaient les unes avec les autres et devenaient trop floues pour que l'esprit puisse les identifier correctement.

Les jours se succédaient sans que mon cerveau intoxiqué puisse distinguer une journée d'une autre. Je ne sortais jamais de l'appartement, de crainte que la police ne me retrouve ou, pire encore, mes parents. Même si je n'en avais pas la preuve, j'étais persuadée qu'ils me recherchaient. Je ne voyais pas le soleil se lever, ni se coucher. Les stores étaient presque toujours fermés parce que les gars avaient peur de se faire repérer par la police ou par des membres de gangs opposés. Ils vendaient du *pot*, de la coke, du speed, de l'ecstasy et du crack. D'ailleurs, c'était grâce à leur gagne-pain qu'on pouvait consommer aussi facilement et aussi souvent dans une journée.

Les jours et les nuits se déroulaient tous de la même façon : réveil vers huit heures, se défoncer jusqu'à plus ou moins quatre heures du matin, et sommeiller jusqu'au prochain réveil. Puis recommencer. On mangeait peu ; je me nourrissais d'une tranche de pain grillé tartiné de margarine aux deux ou trois jours. On passait nos journées à alterner les drogues. On fumait des joints de *pot*, des joints de *pot* et de crack – qu'on appelait des macaques –, des joints de *pot* et de coke connus sous le nom de *juicy*, et du crack pur fumé à l'aide d'une canette vide. On buvait aussi beaucoup d'alcool et on sniffait des lignes de coke. J'étais gelée, congelée comme une conne, surgelée comme une sur-idiote, constamment.

Un soir, tandis que j'étais dans la salle de bains pour aller sous la douche, Bob s'est glissé dans la pièce et il m'a coincée doucement contre le comptoir. Son audace ne m'a pas surprise, car j'avais remarqué le désir incandescent qui brûlait au fond de ses yeux. Pour ma part, je n'avais pas cette envie charnelle, pas parce qu'il ne me plaisait pas physiquement, mais parce que, selon ma maigre expérience, le sexe n'avait absolument rien d'attirant. C'était même plutôt dégueulasse et très douloureux.

Dans ma tête de jeune fille novice, j'en suis même venue à la conclusion que les hommes étaient tous des bêtes obsédées par la dépravation, qu'ils se gavaient inlassablement de la chair fraîche de leurs proies candides. J'ai même cru, pendant quelques années, que mon rôle en tant que femme consistait seulement et uniquement à assouvir leur besoin sexuel. Sans rien demander en retour, sans prétendre au moindre espoir, sans compter sur le moindre amour. J'étais convaincue que les hommes étaient tous de gros méchants loups pervers et les femmes, de pauvres petites filles ingénues au capuchon rouge.

Bob s'est alors mis à m'embrasser fougueusement. Ce baiser m'a aussitôt levé le cœur, cette langue visqueuse qui s'introduisait dans ma bouche et qui y serpentait lugubrement, cette salive épaisse et venimeuse qui se mélangeait à la mienne, ces lèvres voraces qui semblaient vouloir gober mon visage au complet et m'avaler tout rond. Comment une femme peut-elle aimer embrasser ? Pourquoi recherche-t-elle ce genre d'affection ? Quel bien peut-on retirer d'un mélange de fluides buccaux avec ces bêtes assoiffées de sang ? Les embrassades m'apparaissaient totalement dérisoires.

Ensuite, Bob a poussé légèrement ma tête vers le bas ; j'ai compris sur-le-champ qu'il voulait que je prenne son membre dans ma bouche. Je me suis donc agenouillée et je me suis mise à le sucer. J'avais envie de fondre en larmes, mais je me suis retenue. Il fallait que je me montre plus forte que ça, il fallait que je me montre à la hauteur de mon destin, peu importe le trajet qu'il avait tracé pour moi. Au bout d'un temps interminable, Bob m'a repoussée doucement et m'a tournée. Il s'est introduit en moi, va-et-vient dégoûtants, échauffement des chairs, fluides corporels infâmes, baisers infects, gémissements obscènes. Puis l'orgasme est venu à lui et il s'est retiré.

— T'es tellement belle, Ari.

Je l'ai laissé en plan dans la salle de bains, sans lui répondre, remettant mon projet de douche à plus tard.

Plus les jours passaient, plus les visites intimes de Bob devenaient récurrentes. Il est même devenu amoureux de moi. Pour ma part, je ressentais de moins en moins d'émotions à l'intérieur de moi. Mon âme et mon cœur se déconnectaient de plus en plus de mon corps pour se rendre dans un univers où l'humanité inhumaine n'a pas encore surpassé la bestialité de Satan.

Un soir, tandis que je dormais, un corps s'est allongé lentement sur le mien, ce qui a troublé mon sommeil. J'ai ouvert les yeux à moitié et j'ai mâchouillé une question qui sonnait comme : « Kessetufais ? », le cerveau encore tout embrumé par les substances illicites. Mais les va-et-vient continuaient. Mes yeux se sont alors ouverts au complet, ma vision s'adaptant à la noirceur du salon. J'ai alors identifié la masse au-dessus de moi. Ce n'était pas Bob comme je l'avais imaginé, mais Éric. J'ai tenté de le repousser, mais il a attrapé mes bras et les a plaqués contre le divan.

— Arrête, Éric ! Je veux pas !

— Eille, ma p'tite, tu penses que toute cette came est gratuite ? Faut que tu paies tes dettes !

Je lui ai jeté un regard d'une froideur à vous glacer le sang et j'ai haussé les épaules.

– OK. Ben, dans ce cas, fais ça vite...

Ses coups de boutoir se sont faits de plus en plus forts, pénétraient de plus en plus loin. Une douleur lancinante a éclaté dans mon bas-ventre. J'avais envie de hurler et de pleurer. Mais les larmes ne venaient pas, les hurlements non plus. Je suis restée là, couchée sous cet homme dénué de toute sensibilité, mon visage ne trahissant aucune émotion, hypnotisée par sa veine jugulaire, fantasmant à la pensée qu'elle éclate en expulsant tout le sang du corps d'Éric.

Pour dire vrai, j'avais commencé à changer depuis un certain temps. L'adolescente que j'étais auparavant, la gentille, la timide, la tranquille, celle qui n'approuvait en aucun cas la violence d'aucune sorte, cette fille-là disparaissait peu à peu. La colère, la rage, la haine, le ressentiment gonflait en moi et comblait consciencieusement tous les vides de mon être.

Un matin qui avait commencé comme d'habitude, un *juicy* coincé entre les lèvres, les yeux hagards de fatigue, s'est rapidement transformé en un avant-midi dramatique et brutal. La copine d'Éric, Cindy, est entrée dans l'appartement, en proie à une fureur explosive. C'était assez rare qu'elle rende visite à Éric. Je l'avais vue trois ou quatre fois, pas plus. Elle me regardait toujours avec une sorte de méfiance au fond des yeux, et j'ignorais pour quelle raison. Je ne lui avais pourtant jamais rien fait. Bref, elle a claqué la porte derrière elle et a foncé directement sur moi.

– Ma crisse de salope ! T'as baisé avec mon chum !

Son accusation m'a stupéfiée ; je n'avais jamais voulu coucher avec Éric, c'est lui qui s'était imposé à moi. L'indignation qui s'est emparée de moi m'a fait réagir violemment.

– QUOI ?!? C'est ça qu'y t'a dit, le trou d'cul ? Tu penses pas qu'il m'a fourrée sous la menace, parce que j'avais des dettes envers eux ?

Elle s'est élancée pour me gifler. J'ai réussi à esquiver son coup et je lui ai balancé mon poing en pleine figure. Elle a vacillé sur ses jambes avant de choir sur le plancher. Je lui ai alors donné des coups de pied dans les côtes en vociférant des injures et des insultes. Je ne me maîtrisais plus, ma tête ne contrôlait plus mon corps, tout était noir autour de moi, je *voyais* littéralement noir.

Bob s'est précipité vers moi et m'a attrapée dans ses bras en me serrant contre lui, mais je continuais à me débattre comme une forcenée.

– Arrête, Ari ! ARRÊTE !

J'ai arrêté de me débattre tout d'un coup, recouvrant mes esprits et mon calme. Cindy était couchée en position fœtale, le nez en sang, et j'ai pris conscience de ce que je venais de faire. Les conséquences de cette perte de contrôle momentanée risquaient d'être catastrophiques.

— Pourquoi t'as fait ça, Ari ? C'est vrai ce que t'as dit à propos d'Éric ?

— Ouais...

— Merde... Pourquoi tu m'as rien dit ?

— Parce que t'en as rien à foutre ! Personne en a rien à foutre ! Tout le monde se fout de tout le monde ! On naît seul et on crève seul ! OK ? ON S'EN CRISSE !

— Tu penses sérieusement que je m'en fous ? Que je me fous de toi ? T'es une fille merveilleuse. Je t'aime, Ari.

Je l'ai foudroyé du regard, mon âme envahie par une haine meurtrière.

— Ah ouais ! Tu penses que tu m'aimes ? Personne aime, Bob, personne. L'amour, ça existe pas. C'est juste une invention pathétique des gens qui crèvent de peur devant la solitude.

— C'est une grande erreur de penser comme ça, Arielle... Un jour, tu vas voir que l'amour existe, tu vas comprendre que c'est pas tout le monde qui se fout de tout le monde... Un jour, j'te jure.

Pendant que Bob essayait de me convaincre, Cindy s'était relevée lentement. Elle m'a lancé un regard provocateur avant de quitter l'appart en chancelant.

85

– On fait quoi maintenant, Ari ?

– J'sais pas... Elle risque de tout raconter à Éric... Et il va me mettre à la porte, je suppose.

– Sûrement... Tu vas aller où ?

– On pourrait partir ensemble ?

– Ari... J'peux pas... Tu le sais bien... Ici, c'est mon seul moyen de faire de l'argent rapidement, et j'en ai besoin pour payer ce que je dois...

– OK, ben, j'vais m'arranger toute seule, comme d'habitude.

– T'aurais dû y penser avant de cogner sur la blonde d'Éric...

J'ai senti la colère monter en moi. J'ai eu envie de lui crier que, de toute façon, je me foutais de son opinion et que c'était Cindy qui avait frappé en premier. Je me suis tue et je suis allée m'enfermer dans la salle de bains.

– Ah ! Arielle ! Tu sais bien que j'ai pas dit ça pour te faire chier !

En même temps que Bob s'exclamait, Marc et Éric sont entrés dans le logement en coup de vent.

– L'gros ! Va chercher ton *gun* ! a crié Marc.

86

J'ai entrouvert la porte de la salle de bains pour voir ce qui se passait. Bob est revenu dans le salon avec un fusil. Par la fenêtre du demi sous-sol, on a vu des hommes sortir d'un camion ; ils étaient tous armés.

La terre a recommencé à trembler, la foudre a recommencé à retentir, le vent a recommencé à mugir dans les arbres. L'apocalypse avait fini sa pause, elle reprenait les armes. Des coups de feu étaient tirés à travers les fenêtres du salon et de la cuisine ; les éclats de verre étaient projetés jusqu'à l'autre bout de l'appartement. Les décharges assourdissantes faisaient voler en éclats une multitude d'objets autour de nous. Marc et ses colocataires se sont mis à riposter ; ils tiraient par intermittence, chacun par une fenêtre. Les balles de leurs fusils étaient propulsées contre le camion à l'extérieur. Le fracas de tous ces projectiles était à la fois assourdissant et hallucinant.

Couchée à plat ventre sur le sol, les mains plaquées sur mes oreilles, en proie à l'épouvante, j'étais tétanisée, incapable de bouger. Certains disent que, lorsqu'on est sur le point de mourir, des images de notre vie défilent dans notre esprit. Je proclame, haut et fort, que c'est faux ! Aucun souvenir ne s'est insinué dans mon esprit affolé, aucune représentation imaginaire, rien, *nada*, *niente*, *nothing*... Un gros rien du tout. Le néant absolu. Je ne pensais plus, mon cerveau tournait à vide, j'étais paralysée de terreur.

– ARI ! FAIS C'QUE J'T'AVAIS DIT D'FAIRE ! a hurlé Bob par-dessus la cacophonie des coups de feu.

Tout à coup, j'ai retrouvé l'usage de mon cerveau. Il s'est remis à fonctionner, et à une vitesse phénoménale. Je me suis souvenue du plan d'urgence que Bob avait dressé pour moi. Au cas où... Je me suis mise à ramper le plus rapidement possible, sans accorder la moindre importance aux morceaux de verre qui lacéraient ma peau. Une fois rendue dans la chambre de Marc, je me suis relevée d'un bond, j'ai attrapé mon sac à dos et j'ai vérifié à l'extérieur qu'aucun truand ne faisait le guet à l'arrière du bâtiment. J'ai ouvert la fenêtre et j'ai frappé la moustiquaire de toutes mes forces pour qu'elle se décroche. J'ai lancé mon sac à l'extérieur puis j'ai grimpé sur un banc qui traînait dans la pièce, et je me suis hissée par la fenêtre. J'ai détalé jusqu'à l'entrée secondaire, qui se trouvait à quelques mètres de moi.

Paniquée, à bout de nerfs, j'ai sonné, sonné, sonné à l'appartement d'Alice, une jeune femme qui habitait deux étages plus haut. La porte s'est ouverte et je me suis précipitée dans les marches que j'ai gravies deux par deux. Rendue à l'appartement d'Alice, je me suis jetée à l'intérieur, par la porte entrebâillée.

– *Fuck*, qu'est-ce qui s'passe, Ari ? C'est qui, ces malades ? Est-ce que les gars sont corrects ?

Je l'ai regardée sans même la voir. Je suis restée plantée là, debout dans son salon, les oreilles bourdonnantes, à moitié sourde, les yeux remplis d'un vide infini, le sang perlant de mes plaies. Alice m'a prise, doucement par le bras et m'a guidée jusqu'au divan, où je me suis laissée choir en silence.

Cette journée d'horreur, effrayante et traumatisante, a été la dernière où j'ai vu Bob, Marc et Éric. Je n'ai jamais eu de nouvelles d'eux par la suite.

Adieu, *despedida*, *addio*, *farewell*...

Chapitre 7

La souffrance humaine n'a pas de limites.
Si on la regarde de trop près,
elle nous aspire et nous dissout.

Fernand Ouellette

A près cette fusillade, ma métamorphose, qui s'était amorcée depuis déjà quelques semaines, s'est achevée au moment où le printemps arrivait.

Les jours qui ont succédé à cet événement tragique ont donné la chair de poule à Alice. Je restais assise sur le divan à fixer un point tout aussi mystérieux qu'inexistant, dont j'étais la seule à saisir la complexité des secrets qu'il recelait. Je ne parlais pas, je ne me douchais pas, je ne mangeais pas, je ne me droguais pas, je respirais à peine, et je suais abondamment à cause de toutes les toxines qui sortaient de mon corps.

La sidération avait pris le contrôle de mon corps, comme si j'étais plongée dans un coma éveillé, comme si j'étais dans un état de mort apparente. J'étais médusée, comme une méduse que la mer a crachée sur une plage et qui ne sait pas comment s'échapper du rivage avant de sécher sous les rayons âpres et mortels du soleil. J'étais stagnante, comme les eaux immobiles d'une mare que les bactéries infectent et qui deviennent épaisses, visqueuses, tuant toute possibilité de vie.

Puis, par une journée comme les autres, tandis que je fixais le même point sur le même mur, une amie d'Alice est venue lui rendre visite. Elles discutaient à voix basse non loin de moi, mais mon cerveau harassé était incapable de dissocier ces murmures des bruits ambiants qui montaient de la rue.

— Ari, je te présente Sarah.

Lentement, j'ai tourné la tête vers elles. J'avais de la difficulté à distinguer leurs traits, comme si une rosée couvrait leur visage. J'ai alors prononcé mes premiers mots depuis cette attaque menée par un gang opposé.

— Salut, moi, c'est Arielle.

— T'as l'air d'avoir besoin de prendre soin de toi, ma chérie. Viens, tu vas aller prendre une bonne douche, ça va te faire du bien.

Sarah m'a tirée doucement du divan et m'a conduite jusqu'à la salle de bains. Elle a ouvert l'eau pour moi et m'a aidée à me déshabiller. Je l'ai laissée faire sans vraiment comprendre ce qui se passait. Quand l'eau chaude a touché ma peau, mon état léthargique a déguerpi d'un coup pour laisser place à une toute nouvelle Arielle Desabysses.

Comme si cette eau brûlante sur mon corps avait fait fondre toute trace de bonté et de gentillesse qui habitaient encore mon être ; comme si cette eau bouillante avait ouvert tous les pores de ma peau pour y accueillir les ténèbres, moi qui, ironiquement, avais fugué pour éviter que la noirceur ne me gagne entièrement.

Puis Sarah a quitté la pièce. À peine quelques secondes plus tard, je me mettais à rire sans pouvoir m'arrêter, de ce rire qu'on entend seulement dans les films de possession démoniaque, ce ricanement acéré qui est propre aux personnes condamnées aux supplices de l'enfer. Je riais et je riais et je riais, de plus en plus fort. Rien ni personne n'aurait pu empêcher cette démence de trouver refuge en moi.

Soudain, la porte s'est ouverte et Alice a tiré brusquement le rideau de douche.

– Qu'est-ce qui se passe, Ari ? Ça va ?

J'ai levé les yeux vers elle. Ce qu'elle a vu dans mon regard l'a stupéfiée. Et elle avait absolument raison d'avoir cette peur inscrite sur son visage. Je n'appartenais plus à ce monde ; j'avais finalement atterri dans les profondeurs rougeâtres où le Mal règne immuablement. C'était ça ou la folie...

– VA-T'EN ! ai-je hurlé comme un fauve enragé.

C'est à ce moment-là, précisément, que je me suis transformée en monstre, cette bête indocile que je suis encore aujourd'hui, par moments ; ce prédateur récalcitrant qui fait fuir les mains tendues presque à tous les coups. Le début de la fin du monde – en fait, la fin de mon monde – a été de nouveau enclenchée.

Lorsque je suis sortie de la salle de bains, Alice était partie faire des courses. Sarah m'attendait dans le salon.

– As-tu du maquillage ? J'aimerais bien me préparer pour mon *shift* de tantôt.

J'ai hoché la tête et j'ai sorti mon étui à cosmétiques de mon sac à dos. On est retournées dans la salle de bains pour se maquiller devant le miroir. Pendant qu'elle appliquait de la couleur sur ses lèvres, je l'ai détaillée de la tête aux pieds, sans discrétion. D'origine sénégalaise – si j'ai bonne mémoire –, Sarah avait la peau lisse, de grands yeux brun foncé, de longs cils épais qui lui donnaient des yeux de biche, et des lèvres pulpeuses. Elle était plantureuse : des fesses bombées, des hanches dignes d'une danseuse de baladi et des seins bien fermes. Elle était vraiment belle.

– Tu fais quoi, comme travail ? T'as dit que tu t'allais travailler tantôt.

– Ouais, je danse.

– Tu danses quoi ?

– Je suis danseuse nue, a-t-elle précisé en riant joyeusement.

– Ah OK.

– Juste OK ? Juste ça ? Tu m'demandes pas si j'me sens mal de faire cette job-là ?

– Pourquoi je te demanderais ça ?

– Parce que la plupart des gens posent ce genre de question... T'sais, les valeurs, les principes...

– Pour moi, y a pas de valeur, pas de principe. Le bien, le mal, ça existe pas. Ça existe plus. Tout est une question de perception, de contexte.

– Hum... Qu'est-ce que tu veux dire ?

– Admettons que tu es née sur une île déserte. Il y a toi et tes parents et un autre couple, avec un enfant. Si tu grandis en voyant ton père battre ta mère et que personne te dit que c'est mal, parce que l'autre famille fonctionne exactement de la même manière, est-ce que la violence de ton père serait nécessairement considérée comme mal ? Si personne de vous six n'a jamais rien connu d'autre que cette île déserte, comment pourriez-vous savoir que c'est inacceptable ? Je pense que les valeurs sont basées sur notre éducation et la société dans laquelle on vit. Si on recommençait tout à zéro, en disant que tout ce qui était bien est rendu mal et que tout ce qui était mal est rendu bien, les valeurs seraient complètement différentes... C'est juste une question d'angle de vue.

– Wow... Ouais, je suppose...

– Faque t'aimes ça danser ?

– Ouais, ben, t'sais, c'est super payant ! Tu devrais essayer ! T'as un corps pour ça !

Je l'ai regardée en silence, ne sachant pas quoi répondre. J'avais besoin d'argent et, puisque je n'étais plus complètement naïve, je me doutais qu'Alice avait fait venir Sarah pour qu'elle me parle de son travail. Elle n'avait sûrement pas envie que je reste chez elle aussi longtemps que j'étais restée chez Marc. Encore une fois, mes options n'étaient pas nombreuses. J'avais besoin d'argent pour m'acheter la drogue qui me permettrait de soigner mes blessures à l'âme ou qui m'aiderait, du moins momentanément, à les oublier.

– Hum... J'sais pas... Ça marche comment ?

– R'garde, viens donc avec moi, on va aller voir mon chum pis il va t'expliquer tout ça.

Pourquoi pas ? De toute façon, j'avais déjà touché le fond. Qu'est-ce qui pouvait m'arriver de pire ? Pauvre petite conne ignorante ! J'ignorais encore que l'enfer comportait d'innombrables couches avant de parvenir au fond suprême...

Mon sac sur l'épaule, mes bottes sur l'asphalte mouillé par la fonte des récentes chutes de neige, mes pas m'entraînèrent sur une nouvelle route, de celles qui mènent fatalement à un gouffre. J'aurais pu encore tourner courageusement les talons et mener un combat sans merci pour ma survie. Mais je ne l'ai pas fait...

Après avoir marché, tourné sur une rue, marché, tourné sur une autre rue, encore marché et encore tourné, nous sommes enfin arrivées au motel où Joey, le copain de Sarah, l'attendait. D'origine haïtienne, pas très grand, plutôt mince mais bien musclé, il avait les yeux presque noirs comme ses cheveux. À vrai dire, il n'était pas beau. Quelque chose clochait dans son visage, n'était pas en harmonie avec le reste ; peut-être son nez trop large et trop plat comme celui d'un primate ou peut-être ses canines aiguisées, comme celles d'un loup en manque de chair fraîche. Ou, à bien y penser maintenant, son rire cruel qui s'apparentait au ricanement d'une hyène.

– Salut, chérie ! J'suis content de te voir ! T'es en retard !

– Hum ouais ! J'suis désolée ! Je suis passée voir une amie avant. Je te présente Arielle. Ari, je te présente Joey.

– Enchanté, Arielle. T'es venue pour une raison en particulier ? Sarah commence à travailler dans une heure environ.

J'ai lancé un regard à Sarah qui voulait dire : « Keske-j'dis ? » et elle a souri en jetant un œil complice à Joey.

– Bébé, Arielle se trouve dans une situation un peu difficile. Elle n'a pas de toit ni d'argent. J'lui ai dit que tu lui expliquerais c'est quoi, la job d'une danseuse.

– OK... Hum... Ari, t'as l'air jeune... T'as quel âge ?

– Elle a dix-sept ans, mais ça devrait pas poser de problème. Moi aussi j'ai commencé à cet âge-là, tu t'en souviens ?

– Oh, attendez, j'ai pas dit que je voulais commencer ! Je veux juste en savoir un peu plus sur la job ! ai-je rétorqué vivement, avec une pointe de crainte dans la voix.

– Oui, oui ! En tout cas, Joey, explique-lui tout ce que tu peux. Moi, je dois y aller ! Bye, *darling* ! Bye, Ari !

Sur ces mots, Sarah a quitté la chambre. Elle laissait derrière elle une atmosphère si lourde qu'elle semblait sur le point de m'étouffer sous son poids. À la fois apeurée et curieuse, en parfait exemple de la dualité de l'être humain, je me suis tournée vers Joey.

– Faque... Comment ça marche tout ça ?

– Écoute, on prend un verre et après on discute, ça te va ?

– OK.

Il nous a versé un verre de vodka et jus de canneberges. Je me suis assise sur le lit et j'ai bu le liquide réconfortant à petites gorgées.

– Hé, Ari, tu fumes ?

En disant ça, Joey a sorti de sa poche de jeans un petit sac qui contenait du crack. J'ai hoché la tête timidement. Il m'a alors tendu une canette vide et une petite boule de crack, et j'en ai pris une bouffée, goulûment, puis une deuxième, une troisième et une quatrième, jusqu'à ce que tout soit inhalé. Joey a fait pareil après. Je me suis enfin sentie bien ou, plutôt, je me suis sentie mieux. Ma colère et mon aversion sont parties en fumée en même temps que celle que j'avais expulsée de mes poumons.

Je suis devenue insensible, complètement déconnectée du monde des vivants, ce monde où je n'ai pas remis les pieds avant plusieurs années, ce monde autour duquel j'ai orbité, telle une astronaute ensorcelée par les chants des extraterrestres, qui tentent d'exercer leur emprise totale sur ce misérable humain.

– Faque... Tu m'expliques un peu ?

– Ouais... Dans le fond, je vais te donner l'exemple de Sarah pour que tu comprennes mieux. Sarah fait partie d'une agence. Parce que, t'sais, il y a les danseuses engagées directement par de gros *gentlemen's clubs* où elles ont leur permanence, et il y a les autres danseuses, qui doivent se faire un nom d'abord ou qui doivent réussir une de ces auditions très rares pour ces gros *gentlemen's clubs*. En tout cas, vu que les auditions sont rares parce que leurs danseuses démissionnent rarement, les autres danseuses doivent se faire connaître à partir d'autres *strip clubs*. Et pour se promener un peu partout dans ces clubs, elles doivent faire partie d'une agence. Tu me suis ?

– Ouais...

– Quand t'es inscrite dans une agence, tu donnes tes disponibilités et les villes où tu veux travailler, pis l'agence t'appelle pour te *booker* des *shifts*.

– Euh... OK... Et si t'as pas d'auto, tu travailles juste dans ta propre ville ?

– Non, ma belle, ces agences ont des chauffeurs. Si t'habites Montréal et que tu veux aller travailler à Saint-Eustache, par exemple, et que l'agence a un contrat pour toi là-bas, un chauffeur peut venir te chercher, te conduire au club et te ramener chez toi après.

– OK... Et ça paie combien ?

– Hum... Hé ! Tu veux de la coke ? Moi, je suis dû pour une ligne !

J'ai hoché la tête avec entrain. Joey nous a tracé deux bonnes lignes pour chacun sur un menu de restaurant, puis il m'a tendu un billet de vingt dollars roulé pour que je puisse *sniffer*. Je me suis aussitôt réveillée, comme si une lumière satinée m'illuminait. La drogue m'a enveloppée d'une nappe soyeuse, comme si mon âme pouvait l'effleurer et en être mystifiée jusqu'à la fin des temps.

— Combien elles sont payées, les danseuses ?

— Hum... 10 $ la danse privée, qui dure le temps d'une chanson, sans compter tous les autres billets qu'elles reçoivent quand elles sont sur le *stage*...

— C'est tout ? Elles ont rien d'autre à faire ?

— Ben... Pour le reste, ça dépend d'elles...

— Qu'est-ce que tu veux dire ?

— Y a des clubs à gaffes et y a des clubs *straight*...

— OK, mais ça veut dire quoi ?

— *Straight*, ça veut dire juste des danses privées à 10 $ et des danses sur le *stage*. À gaffes, ça veut dire que, en plus, y a des pipes à 60 $ et des complets à 120 $.

— Wow... OK... Ben moi, c'est sûr que je fais pas ça...

— T'es pas obligée... Chaque danseuse fait ce qu'elle veut ! Elle a juste à dire ses choix à son agence !

J'ai alors baissé les yeux vers mes pieds et je me suis rendu compte que je serrais mes poings un peu trop fort. Je les ai ouverts et j'ai découvert de minuscules gouttes de sang qui perlaient de mes paumes. J'avais enfoncé mes ongles dans ma chair jusqu'à me faire saigner, mais sans m'en apercevoir... Une voix aiguë me criait du plus profond de mon être que je devais m'enfuir sur-le-champ avant que mon âme malade soit vendue au diable, mais une autre voix, plus grave, plus autoritaire, me criait de rester là et de m'en foutre plein les poches pour pouvoir m'en foutre plein le nez et mourir, peut-être, d'une surdose. L'ange de la mort viendrait me chercher et mes douleurs s'envoleraient à mesure que ses ailes m'amèneraient vers les cieux.

Mais le concept du bien et du mal ayant perdu toute signification pour moi, pour mon esprit mutilé, je suis restée là à sourire comme une idiote en pensant à l'argent que je pourrais gagner, moi pauvre-petite-Blanche-Neige-fauchée, version *hardcore*, qui avais partagé le même toit que trois ogres et qui avais dû fuir le despotisme de mon père sorcier.

– Je pense que je vais essayer...

– OK ! *Good*... Je vais appeler l'agence dans ce cas ! C'est quoi, ton nom complet, au fait ?

– Arielle Desabysses.

Joey a pris le combiné et a composé le numéro de téléphone de ladite agence.

– Salut, Caroline, c'est Joey ! Ça va bien ? (Silence) Ouais, moi aussi ! Écoute, une amie de Sarah aimerait commencer à danser. (Silence) Oui, elle a dix-huit ans, elle m'a montré sa carte d'assurance maladie. (Silence) Arielle Desabysses. (Silence) OK, ouais, donne-moi deux minutes. Ari, quel nom de scène tu veux ?

– Hum... Je sais pas... Je peux prendre n'importe quel nom ?

– Ouais, prends deux minutes pour y penser.

Je souhaitais porter un nom qui symboliserait la personne que j'étais devenue parce que des forces maléfiques m'avaient poussée vers la déchéance, un nom qui me représenterait depuis que j'étais la victime de ce maléfice. Oui, c'était ça ! Maléficia, c'était le nom de scène idéal !

– Maléficia.

Joey a froncé les sourcils et a repris sa conversation avec la réceptionniste de l'agence.

– Ça va être Maléficia. (Silence) Ouais, rousse, yeux bruns, environ 1,57 m et 45 kilos. (Silence) En fait, j'avais pensé qu'elle pourrait commencer demain, au même club que Sarah. (Silence) Ouais, c'est parfait. Merci ! Bye !

Il a raccroché le combiné et a tracé deux autres lignes de coke.

– Mais... Joey... Sarah te l'a dit tantôt, j'ai pas dix-huit ans...

– Oh, ouais, t'inquiète... L'agence te demandera pas de preuve tant que tu leur causeras pas de problème.

Il s'est penché et a prisé la drogue. Et j'ai fait pareil à mon tour.

Le lendemain matin, je me suis réveillée sur le divan de la chambre de motel. Joey et Sarah, assis dans le lit, étaient déjà en train de fumer un joint de *pot* et de crack. Je suis allée m'asseoir à côté de Sarah. Elle m'a tendu le joint et j'en ai pris quelques bouffées. Au bout d'un long moment à fumer et à rigoler, Sarah m'a annoncé qu'il était l'heure de se préparer pour le travail.

On est allées se maquiller et se coiffer dans la salle de bains.

– As-tu quelque chose à te mettre ?

– Euh... J'ai juste des sous-vêtements...

– Montre-moi ce que tu as dans ton sac à dos.

Sarah a examiné mes quelques vêtements avec une attention particulière, puis elle m'a tendu un soutien-gorge et un string rouge sang.

– Tiens, essaie ça ! Et j'ai sûrement une minijupe et des souliers à talons hauts qui vont te faire !

Elle a fouillé dans son sac de voyage et en a sorti une jupe courte en cuirette noire et des souliers noirs – je n'avais pas pensé à emporter des chaussures, je n'avais donc que mes bottes d'hiver. Je me suis déshabillée et j'ai enfilé les vêtements choisis.

– Wow ! C'est parfait ! T'es canon comme ça !

Je me suis retournée vers le miroir. Mon reflet m'a éberluée. Je ressemblais à une femme provocante. Je me suis surprise à sourire à cette pensée. Je me trouvais ridicule d'avoir encore ce genre de réflexion. Que pouvait bien signifier la provocation dans ce monde où le sexe et le pouvoir primaient sur tout ? Que tu sois une jeune fille de quatorze ans habillée de la tête aux pieds comme si tu partais en randonnée de motoneige ou que tu sois une jeune femme de vingt-cinq ans vêtue d'une simple culotte sur laquelle il y a « Baise-moi » brodé sur le derrière, ça revient au même. D'une façon ou d'une autre, quelqu'un quelque part aura envie de te baiser, de te posséder, de te dominer.

Et je le crois encore aujourd'hui. Le sexe et l'argent sont les deux principales choses qui gouvernent le monde. Détenir le pouvoir.

Une fois devant le club, situé sur la Rive-Sud de Montréal, Joey a éteint le moteur de sa voiture et m'a souhaité bonne chance. Sarah et moi, on est descendues de l'auto, puis on est entrées dans le club. Une femme nous a accueillies et nous a précédées vers la pièce où les danseuses se préparaient. Le stress m'a alors gagnée, je tremblais comme une feuille. Sarah s'en est aperçue et elle m'a pris doucement le bras.

– T'en fais pas, ma belle. T'as qu'à rester ici et à regarder ce que font les autres filles sur la scène. Après, ben, t'essaies de faire que'que chose qui y ressemble.

J'ai hoché la tête et j'ai enlevé mon manteau. Sarah a tracé une ligne de coke sur une petite table qui se trouvait à côté d'un grand miroir et elle m'a fait signe que c'était pour moi. J'ai *sniffé* la ligne au complet.

– Là, va te chercher un verre, t'en as besoin, m'a-t-elle dit en me donnant un billet de vingt dollars.

Au bar, j'ai commandé une vodka-jus d'orange. En attendant mon verre, j'observais la fille qui dansait lascivement sur la scène. Une musique électrisante remplissait le club, l'endroit sentait le sexe à plein nez, tout rappelait le désir charnel : la danseuse à moitié nue qui se caressait la vulve par-dessus son string, le rythme musical érotique qui retentissait sur les murs, les paroles de chansons licencieuses qui percutaient nos tympans, la barmaid impudique qui prenait des poses voluptueuses derrière son bar, les spectateurs qui se rinçaient l'œil en sentant leur verge gonfler dans leur pantalon, la peinture sur les murs qui évoquait la couleur d'un mamelon...

Mon verre a été déposé sur le bar, devant moi. Je l'ai bu d'une seule traite, puis j'en ai commandé un deuxième. Une fois servie, je me suis dirigée vers la pièce réservée aux danseuses. Je me déplaçais lentement, comme si mes pieds glissaient au-dessus du plancher, sans avancer l'un après l'autre, comme si un tapis volant me transportait sans heurt. Le stress qui m'habitait m'a alors quittée pour laisser place à une sorte d'enivrement. Je me suis plantée devant le grand miroir pour me détailler avec jubilation. Je venais de comprendre quelque chose de capital.

– Hé, Sarah ! Ça marche comment pour les danses privées ?

– Tu vas t'asseoir au bar ou tu te promènes en essayant d'attirer l'attention des gars, pis tu les emmènes dans une des petites salles là-bas, m'a répondu Sarah en m'indiquant l'endroit où se trouvaient les salles en question.

– OK !

– Hé ! Rappelle-toi que, pour une danse à 10 $, ils ont pas le droit de te toucher ! Mais tu peux leur charger 20 $ pour leurs mains baladeuses !

Je lui ai souri et je suis sortie de la pièce. Je suis allée m'asseoir directement au bar, à côté de deux hommes – un qui avait plus ou moins trente ans, l'autre, environ quarante. Je leur ai adressé un sourire espiègle.

– Ça va bien, les gars ?

– Ben oui, ma jolie ! Et toi ? m'a répondu le plus jeune des deux.

– Oui, super ! Il fait chaud ici, dis donc ! Je suis toute humide ! ai-je dit d'une voix suave.

Les deux hommes ont échangé un regard qui trahissait un léger étonnement devant ma hardiesse, puis les deux m'ont souri.

– Ça te tente de danser pour moi, ma belle ? m'a demandé le plus jeune.

J'ai acquiescé d'un signe de tête, je l'ai pris par la main et guidé jusqu'à une salle au fond du club. Il s'est assis sur la chaise pendant que je fermais les rideaux derrière nous.

– C'est 10 $ pour chaque chanson, ai-je déclaré.

Je lui ai donc tourné le dos en attendant qu'une nouvelle chanson débute. Puis je me suis déhanchée lentement en suivant le rythme sensuel de la musique, mes fesses se balançaient voluptueusement. Je me suis alors tournée vers lui. Lorsque j'ai croisé son regard envoûté, un sentiment d'exaltation s'est alors répandu dans tout mon corps, de mon cerveau jusqu'au bout de mes orteils. Pour la première fois de ma courte existence, je ne me sentais pas comme la victime, comme la proie. J'étais celle qui contrôlait la situation, j'étais supérieure, j'étais la prédatrice. Il ne pouvait pas me toucher, il ne pouvait que regarder, il n'avait aucun pouvoir sur moi. Ses yeux semblaient crier tout son désir pour mes formes pulpeuses. Il était petit, soumis, lamentable. Je le détestais du plus profond de mon âme.

Il était le parfait emblème de mon aversion pour les hommes : exécrables et puissants lorsqu'ils sont en liberté, minables et faibles lorsqu'ils sont sous surveillance.

Je me suis assise sur lui. Cambrée, les seins nus, la peau luisante, les cuisses ouvertes, la tête rejetée vers l'arrière, je frottais mes fesses sur son phallus comprimé dans son pantalon. Son cœur battait la chamade contre mon dos ; il était si excité et si vulnérable que j'aurais pu le tuer d'un coup de couteau dans la jugulaire avant même qu'il ne s'en rende compte.

– *Fuck...* J'ai mal aux couilles... Ça va aller pour le moment.

Je me suis remise debout et j'ai enfilé mon soutien-gorge.

– Ça va faire 20 $.

Il m'a tendu un billet, que je lui ai arraché des mains, et je suis sortie de la pièce, un sourire collé aux lèvres, le laissant seul avec sa misérable érection. Lui, le perdant, moi, la gagnante.

Au terme de cette longue nuit, je suis rentrée au motel avec Sarah et Joey. J'avais gagné 210 $, juste à faire des danses privées. Je ne me sentais pas encore prête ni assez confiante pour monter sur une scène. Le lendemain soir, Sarah et moi, on est allées dans un autre club de la Rive-Sud, où j'ai gagné 310 $ à faire des danses privées et des danses sur scène.

Le soir suivant, on a pris congé pour faire la fête. Cette soirée-là a été la plus traumatisante de toute ma vie. Cet événement déchirant est la source même du cataclysme qui a dévasté mon existence à tout jamais et qui a détruit intérieurement la personne que je suis pour l'éternité.

On était dans la chambre du motel, comme d'habitude, mais des amis à Joey s'étaient joints à nous. D'origine haïtienne, Jason était très grand, très costaud – je dirais sûrement plus de 90 kilos. Il avait des yeux brun foncé et des cheveux noirs. Lui aussi d'origine haïtienne, Carl était un peu plus petit et un peu moins costaud que Jason. On fumait du crack et on buvait de la vodka, tous assis sur le lit.

— Pis, Ari, comment t'aimes ça, le striptease ? m'a demandé Joey.

— Bah... C'est payant, ai-je répondu.

— Faque tu vas commencer quand, à faire la gaffe ? a-t-il répliqué.

— Ben... jamais ! ai-je dit en laissant échapper un rire nerveux.

Joey s'est mis à rire cruellement avec ses amis. Sarah est allée s'asseoir sur la chaise près de la porte de la chambre. J'ai alors senti le danger foncer tout droit sur moi. Mes sens se sont intensifiés, mes yeux ont parcouru la pièce à la recherche d'une échappatoire, mais je ne pouvais me sauver nulle part. Sarah se tenait à côté de la seule porte qui menait à l'extérieur, Joey était assis à ma gauche, Jason, à ma droite et Carl, derrière moi. J'étais prise au piège comme une petite souris entourée de lions qui se pourlèchent les babines.

– Qu'est-ce que tu crois, ma p'tite ? Tu penses sérieusement que je t'héberge gratuitement ? Que je te *lifte* juste comme ça ? Que je te donne de la dope sans rien attendre en retour ? m'a dit Joey d'une voix dure.

– Non... C'est sûr que non... Mais j'ai de l'argent, je peux te rembourser...

Joey a éclaté de rire, imité par ses amis. Sarah restait impassible.

– T'es loin d'avoir assez de *cash* pour me rembourser tout ce que tu me dois.

À ce moment précis, une colère sans borne s'est emparée de moi, je ne me maîtrisais plus. J'ai bondi sur mes pieds et je lui ai craché au visage en lui hurlant d'aller se faire foutre. Tout à coup, le temps s'est écoulé plus lentement, comme dans les films d'action où on voit le héros courir au ralenti et plonger au sol à l'instant même où une bombe explose derrière lui.

Les yeux de Joey se sont arrondis sous le coup de la surprise, puis son visage s'est enflammé de rage. Puis le temps s'est suspendu quelques secondes pour aussitôt se mettre à filer très rapidement.

Il s'est levé brusquement du lit et m'a empoignée par la gorge :

– QU'EST-CE QUE TU PENSES FAIRE, SALOPE ? T'ES À MOI, PUTE !

Me tenant toujours par la gorge, il m'a soulevée du sol et m'a traînée jusque dans la salle de bains.

– Jason ! Viens ici ! a-t-il crié.

Il m'a balancé un coup de poing en plein visage et je suis tombée sur le plancher.

– Remplis le bain ! a ordonné Joey à Jason.

J'ai entendu l'eau qui coulait dans la baignoire. Joey s'est assis sur moi, puis il m'a giflée à plusieurs reprises. J'avais peur, j'avais mal, mais je ne bougeais pas, je ne pleurais pas, je ne suppliais pas. À quoi bon ? Je savais pertinemment que ces hommes ignobles, ces véritables abominations de la nature, ne se laisseraient pas détourner de leurs desseins sanglants.

Tout à coup, Joey m'a attrapée par les cheveux et m'a plongé la tête sous l'eau. Je l'ai vaguement entendu dire à Jason de me maintenir ainsi, puis il a baissé mon pantalon jusqu'à mes genoux. Il m'a pénétrée brutalement. J'ai eu l'impression que son pénis déchiquetait ma chair. Je me suis débattue, j'ai essayé de sortir ma tête hors de l'eau, mais en vain. Jason était beaucoup trop fort.

114

Je manquais d'air, je ne pouvais plus respirer. J'ai donc paniqué et j'ai commis l'erreur fatale : j'ai ouvert la bouche sans faire exprès. L'eau s'est introduite dans mon estomac et dans mes poumons. J'ai commencé à m'étouffer tandis que le membre qui me pilonnait était en train de me défoncer littéralement.

Puis, avant même que ma tête puisse se séparer de mon corps, je me suis évanouie.

Le temps s'est soudainement arrêté.

Chapitre 8

La vengeance n'est jamais une ligne droite.
C'est une forêt.
On peut donc facilement s'y égarer,
s'y perdre, oublier par où on est entré.

Sonny Chiba

Lorsque je suis revenue à moi, quelques heures plus tard, j'étais étendue sur le carrelage de la salle de bains, en position fœtale, les cheveux encore trempés.

Je me suis mise à tousser sans pouvoir m'arrêter. La toux se faisait de plus en plus rauque, de plus en plus creuse. Mes poumons me faisaient atrocement souffrir. J'avais l'impression qu'ils étaient en train de s'embraser tellement ils me brûlaient l'intérieur de la poitrine. J'étais persuadée que tout mon corps était en train de s'incendier pour ne laisser bientôt, sur la céramique froide et déprimante, que de la braise ou des cendres. Ma mort était imminente.

C'est à cet instant précis que j'ai décidé de ne pas mourir en lâche, de ne pas crever sans rien leur prendre, alors qu'ils avaient tout pris de moi. Pour mes dernières heures, je me voulais courageuse, valeureuse et glorieuse. Je n'avais plus peur de mourir puisque je n'avais plus rien à perdre ; je m'étais déjà perdue depuis un certain temps.

Si mourir ne vous effraie plus, rien ne pourra vous terrifier à nouveau.

Et c'est exactement ce qui s'est passé avec moi.

Je me suis remise sur mes pieds et glissée sous la douche. J'aurais pu m'enfuir pendant qu'ils dormaient tous encore, mais je n'en ai rien fait. Je voulais leur tenir tête, je voulais faire en sorte que ma mort éventuelle ait servi à quelque chose : me venger.

Joey voulait que je fasse la gaffe ? J'allais lui en offrir une marquante.

Le soir même, Sarah et moi, on est allées travailler dans un club de la Rive-Nord de Montréal. Joey est resté toute la soirée dans la salle pour m'avoir à l'œil. J'ai dansé à quelques reprises sur la scène et j'ai aussi offert des danses privées. Pendant que je buvais une vodka sur glace, assise au bar, un homme d'environ cinquante ans s'est assis à côté de moi. Il était bedonnant et presque chauve.

– Salut, moi, c'est Serge. Tu t'appelles comment ?

– Maléficia.

– Oh... Mais je voulais dire ton vrai nom...

– Désolée, mon chou, mais on donne jamais notre vrai nom.

Je lui ai lancé un sourire arrogant et j'ai plissé les yeux.

– Qu'est-ce qui te ferait plaisir, papi ? T'as envie que je te suce ?

– Wow ! Ça, c'est droit au but ! Pourquoi pas, ma belle petite ?

Il me donnait envie de hurler et de vomir mon âme, cet homme répugnant qui souhaitait se faire vider les testicules par une jeune fille peut-être plus jeune que sa propre progéniture et qui, en plus, était visiblement mal traitée par son souteneur.

Je me suis levée et je lui ai pris la main. J'ai regardé dans la direction de Joey et, satisfaite, j'ai vu qu'il m'observait toujours. J'ai donc mené Serge vers l'une des pièces au fond du club. Je l'ai fait s'asseoir sur la chaise et j'ai fermé les rideaux derrière nous.

La musique jouait à plein volume, la drogue et l'alcool affluaient dans mes veines, mes tempes tressautaient de haine. Je me suis agenouillée, j'ai déboutonné son jeans et j'ai sorti sa verge déjà durcie par un désir qui me révoltait au plus haut point. Je l'ai engloutie dans ma bouche et je me suis mise à le sucer. Mes va-et-vient se faisaient de plus en plus rapides, il grognait de plaisir. Puis je me suis arrêtée à la base de son pénis. J'ai serré les dents tranquillement. Lorsqu'il a commencé à ressentir de la douleur, il a essayé de repousser ma tête. Mais je ne lâchais pas prise, je serrais les dents de plus en plus fort.

– KESSE TU FAIS, TABARNAC ?

Il s'est mis à me donner des coups sur la tête en criant de douleur. Tout à coup, il a pressé ses pouces dans mes yeux en ruant dans les airs. J'ai finalement desserré les dents et j'ai recraché son membre. Il avait bien mérité cette morsure autour de son pénis égoïste.

Au même moment, un agent de sécurité m'a soulevée du sol. J'avais un goût de sang dans la bouche et je me suis mise à rire, en proie à une crise d'hystérie. L'agent de sécurité m'a traînée jusqu'à l'extérieur du club, suivi de Joey. Ce dernier m'a tabassée jusqu'à ce que je perde conscience. Mais, pendant qu'il me rouait de coups, je n'ai pas cessé de rire diaboliquement. Ma vengeance m'a été d'un grand réconfort : faire mal à un homme comme tous ceux qui me faisaient mal. Mon esprit n'appartenait plus à ce monde...

Des heures plus tard, j'étais couchée sur le divan, dans la chambre du motel. Mon corps me faisait souffrir, mes muscles étaient endoloris, j'avais de nombreuses contusions, pourtant mes maux physiques n'étaient rien par rapport à mon supplice mental. J'étais complètement traumatisée. Personne ne peut imaginer à quel point, à moins d'avoir vécu la même situation...

Au plus profond de mon être s'accumulaient des larmes que mes yeux ne pouvaient plus verser. Mon cerveau était hors service.

Je nourrissais une rancœur sans nom envers la société. Comment des gens aussi immondes pouvaient-ils faire ce qu'ils faisaient et vivre tout de même en paix ? Pourquoi les policiers ne peuvent-ils pas incarcérer tous les *pimps*, tous les gangs ? Comment des hommes, sans doute des pères de famille et des époux aimants, peuvent-ils demander des faveurs sexuelles à une jeune fille, visiblement mineure, et ne ressentir aucun remords lorsqu'ils embrassent leurs enfants sur le front ? Comment une société soi-disant aussi évoluée que la nôtre peut-elle occulter d'aussi sombres failles ?

Comment avais-je pu être idiote au point de croire que fuguer réglerait mes problèmes ? J'étais aussi stupide et aveugle que cette société que je haïssais. Peut-être même que je m'abominais encore plus que la société.

Pleine de courbatures, je me suis redressée tant bien que mal sur mes coudes. Joey dormait dans le lit avec Sarah. J'ai pris mon sac à dos, j'ai marché sur la pointe des pieds jusqu'au pantalon de Joey qui traînait par terre et j'ai fouillé dans ses poches pour y prendre son portefeuille. J'ai pris tous les billets qu'il contenait, soit sept cent quarante dollars. Puis je me suis dirigée silencieusement vers la porte et je suis sortie sans un seul regard en arrière.

J'ai marché pendant des heures sans but précis. Je ne pensais qu'à m'éloigner le plus possible de cette chambre de motel miteuse. Vers cinq heures du matin, j'ai croisé par hasard le copain d'Alice que j'avais vu deux ou trois fois à l'appart de Marc. Ils habitaient tous dans le même secteur de Montréal-Nord. Il a arrêté sa voiture à ma hauteur et m'a souri en baissant sa vitre :

123

– Hé ! Arielle ! Ça va ?

– Euh... Oui, oui !

– Tu t'en vas où comme ça ?

– Honnêtement, j'en ai aucune idée ! ai-je répondu avec un petit rire nerveux.

– OK, ben, je retournais chez moi. Je suis allé m'acheter des clopes. On fait la fête, tu veux venir ?

Comme je n'avais aucune idée de l'endroit où je pouvais aller et comme c'était un visage familier, je suis montée dans sa voiture.

Quelques minutes plus tard, on arrivait à son appartement. Une musique psychédélique jouait à tue-tête et une fumée épaisse flottait dans toutes les pièces. Dave m'a présentée à ses amis : John, Alex, Marco, Stéphane et Kenny. J'ai tout de suite su que cette fête se tournerait contre moi, mais je ne me suis pas enfuie. J'étais rendue trop lasse, asthénique, annihilée. Les hommes m'avaient réduite à une moins que rien, réduite à une sous-merde, réduite au néant absolu. Ma vie ne m'importait plus du tout. De toute façon, elle ne semblait importer à personne...

J'ai bu les verres qu'ils me tendaient et *sniffé* la coke qu'ils me donnaient. À un certain moment, Dave m'a amenée dans sa chambre en me tenant par le bras. Il m'a poussée dans son lit avant de me faire avaler une pilule d'ecstasy. Je n'ai pas résisté, je n'ai pas tenté de l'en empêcher.

À ce moment-là, je souhaitais réellement mourir. Je ne pouvais plus continuer de vivre dans ce monde odieux. Je ne pouvais plus faire comme si les flammes de l'enfer ne me brûlaient pas le corps ; elles consumaient mon être tout entier. Je devais faire face à cette réalité. Il n'était plus question d'une impression chimérique, mais bien d'un fait tangible. À ce moment-là, qui que ce soit me portant un peu d'intérêt aurait pu voir que j'avais littéralement fondu. Mes joues étaient creuses, mes yeux, exorbités ; je n'avais plus que la peau sur les os, comme si le feu satanique me dissolvait. Je ressemblais à une anorexique sur le point de rendre son dernier souffle.

Mon souhait allait bientôt être exaucé. L'ange de la mort était tout près de moi, je pouvais sentir son haleine fétide sur mon cou. Il allait me faire quitter ce monde, cette orbite, cet enfer. Il allait m'imposer sa dictature et m'emmener là où plus rien n'existe, dans le néant.

Ils m'ont prise chacun leur tour. Leurs coups de reins étaient hostiles et d'une brutalité inouïe. L'intérieur de mon ventre se faisait marteler comme du béton qui se fait battre à coups de marteau-piqueur. Mon corps était projeté vers l'avant à chaque va et à chaque vient ; j'avais l'impression que mes os pelviens se fracturaient à chaque heurt. Une sueur glacée perlait le long de mes tempes. Mes yeux

125

oscillaient de gauche à droite, à cause de la drogue qui envahissait mes organes, comme une pendule détraquée. Les larmes me piquaient les yeux, mais elles ne coulaient pas.

J'ai supplié l'ange de la mort pour qu'il arrache là, maintenant, ce qu'il restait de mon âme à leurs mains crasseuses... Mais, puisque ni rien ni personne ne m'écoute jamais, n'ayant aucun autre moyen de me soustraire à cette infamie, ma tête s'est séparée de mon corps. Et le temps a stoppé son cours encore une fois.

Je me suis longtemps demandé pour quelle raison j'avais été victime d'autant de cruautés enchaînées les unes après les autres. Encore aujourd'hui, je suis incapable de répondre à cette question. Peut-être était-ce la faute à mon innocence flagrante. Peut-être était-ce parce que, de fois en fois, je ne rencontrais que les amis des amis des membres de gang de rue. Peut-être était-ce aussi un peu des deux...

Quand ma tête a finalement rejoint mon corps, j'étais agenouillée dans la pénombre d'une ruelle. Je me suis remise debout et j'ai titubé jusque dans la rue en serrant mon sac à dos contre ma poitrine. Dans ma malchance, j'avais eu de la chance : ils n'avaient pas trouvé l'argent volé à Joey, caché dans la poche intérieure de mon manteau. Ils m'avaient seulement volé mon collier et mon pendentif.

J'ai marché, marché, traversé des rues aux intersections et encore marché. J'avais du mal à mettre un pied devant l'autre. Mes vêtements étaient sales, mes cheveux, gras et emmêlés, j'étais dans un piteux état. Les rares passants me regardaient avec dédain. Ils devaient croire que j'étais une prostituée...

Puis, au cours de ma marche erratique, je suis passée devant un fleuriste. De belles fleurs de toutes les couleurs étaient présentées à l'avant du magasin. J'en ai aussitôt pris une. Puis, comme je me retournais, un autobus s'est arrêté devant moi. J'ai vu ça comme un signe du destin ; j'y suis montée et je me suis assise sur un des bancs.

Je fixais la fleur comme si elle allait me dévoiler ma destinée, me dicter enfin le chemin que je devais prendre. Mais je ne vous apprends rien : les fleurs ne parlent pas...

Alors je me suis mise à détacher tranquillement ses pétales un à un, en fredonnant dans ma tête : « Je m'aime un peu, je m'aime beaucoup, je m'aime passionnément, je m'aime à la folie, je ne m'aime pas du tout, je m'aime un peu, je m'aime beaucoup, je m'aime passionnément, je m'aime à la folie, je ne m'aime pas du tout... »

Et j'ai continué ainsi, jusqu'à ce qu'il n'y ait plus aucun pétale sur cette magnifique fleur, jusqu'à ce que mon fredonnement intérieur s'arrête sur « Je ne m'aime pas du tout » tandis que le dernier pétale arraché se mourait entre mes doigts, tandis que cette fleur splendide se flétrissait. Comme moi...

À cet instant précis, tout me semblait clair dans ma tête, je me trouvais incroyablement lucide. Je suis sortie de l'autobus à l'arrêt suivant. J'ai découvert que j'étais rendue à Rivière-des-Prairies.

Je me suis remise à marcher, fourbue, totalement désillusionnée par la vie. Je ne m'aimais pas, personne ne m'aimait, j'étais complètement seule, d'une solitude profonde et dont il m'était impossible de me défaire. Elle s'insinuait sous ma peau, elle parcourait mes veines en enflammant tout sur son passage, elle se collait à mes organes vitaux, elle se nourrissait de mon énergie de par l'intérieur, elle me calcinait tout entière. J'étais une morte-vivante. J'avais atteint le point de non-retour. Il était trop tard pour rebrousser chemin ; je devais continuer dans cette voie de destruction. Plus rien ne m'attendait derrière, plus rien ne m'attendait devant, sinon ma mort, inévitable.

J'ai serré les poings.

« Vas-y, Ari, tu dois affronter la noirceur de ton destin jusqu'à la fin. »

Et j'ai continué de marcher en fixant le vide devant moi, mon sac sur l'épaule, mes bottes foulant le sol, mes pas me conduisant vers ma fatalité. Mon propre poids m'apparaissait trop lourd à porter sous la chaleur du soleil qui suivait lentement sa trajectoire dans le ciel vers son zénith.

Au bout de j'ignore combien de temps, vacillant sur mes jambes meurtries, totalement désorientée, je suis entrée dans un restaurant McDonald's. J'ai commandé un cheeseburger et un verre d'eau, et je suis allée m'asseoir au fond de la pièce. Mon corps était affamé, mais, le cœur au bord des lèvres, je ne pouvais prendre qu'une minuscule bouchée à la fois.

Je buvais goulûment mon eau quand j'ai remarqué que beaucoup de clients du restaurant me fixaient bizarrement. Complètement paniquée, je me suis levée d'un bond et précipitée dans l'une des toilettes. Quelques minutes plus tard, quelqu'un cognait à la porte de la cabine. J'ai retenu ma respiration et j'ai remonté mes jambes en tâchant de ne pas faire de bruit.

– Hé ! Arielle ! Ça sert à rien d'essayer de te cacher ! Même si je vois plus tes pieds, je sais que t'es là !

J'ai alors expiré tout l'air que j'avais retenu dans mes poumons, à bout de souffle, et j'ai supplié je-ne-sais-trop-quelle-force-divine que cette fille ne m'ait pas entendue. Mais, bien sûr, elle m'avait entendue.

– Arielle... Je veux pas te faire peur... J'suis pas là pour ça... Je sais que tu me connais pas, mais moi, je t'ai reconnue... Je veux juste t'avertir qu'un client a appelé les flics pour leur dire que t'étais ici...

– Les flics ? Comment ça ?

– Euh... Ben... Je sais pas si t'es au courant, mais... Ta face passe aux nouvelles et dans les journaux depuis quelques semaines...

– Hein ? Quoi ? Comment ça ?

J'ai ouvert la porte de la toilette et j'ai regardé, d'un air grave, la jeune employée du McDonald's. Je savais bien que mes parents me cherchaient, mais je n'aurais jamais imaginé que ma fugue se rendrait au journal télévisé.

– Qu'est-ce que je dois faire ? ai-je demandé, totalement désemparée.

– Courir... Le plus vite que tu peux... Oh ! Et...

La jeune fille a gribouillé des chiffres sur un bout d'essuie-tout et me l'a tendu en me disant :

– Appelle-le. Il va pouvoir t'aider. Il s'appelle Alan.

Je me suis longtemps demandé pourquoi elle m'avait dit que cet Alan pourrait m'aider. (Et comment j'avais pu écouter cette parfaite inconnue...) Bien des années plus tard, j'ai compris, après avoir longuement discuté avec une femme qui exerçait le métier d'escorte, que de nombreuses jeunes filles sont tentées d'entrer dans ce milieu, souvent parce qu'elles connaissent des filles un peu plus vieilles qui font ce métier – vous savez, cette confiance quelquefois aveugle qu'on donne aux adultes –, et qu'elles sont donc prêtes à faire bien des choses pour se faire accepter. Il ne faut pas oublier que le sexe est un marché très lucratif – une vraie mine d'or pour certains. Et puis, il n'y a aucun risque de se retrouver au chômage, puisque la demande ne cessera jamais. C'est de l'argent « vite fait », mais à quel prix...

Elle m'a donc adressé un sourire rassurant et péremptoire. J'ai hoché la tête en même temps que je prenais le bout de papier, puis j'ai foncé vers la sortie qui menait à l'arrière du bâtiment. J'ai plaqué la porte comme si j'étais une joueuse professionnelle de football américain. Le vacarme surprenant du choc de mon corps contre la porte m'a laissée abrutie. Je me suis immobilisée brusquement, comme si mes pieds avaient figé dans le ciment du trottoir.

Qu'est-ce que j'étais encore en train de faire ? Je ne connaissais pas ce Alan. Ni la fille qui m'avait donné son numéro. Comment croire que, cette fois-ci, on m'aiderait pour vrai ?

À la lumière de mon jugement faussé, dans les circonstances du moment et dans l'urgence de la décision à prendre, j'ai conclu que cet homme était le seul vrai choix qui m'était offert. Sinon, il y avait deux autres options : continuer à fuir, en espérant que la mort me rattrape un de ces jours, ou rester dans l'embrasure de cette porte en espérant que les policiers qui viendraient me chercher comprendraient ma neurasthénie.

Mais je n'étais pas dupe ; je savais, avec toute la lucidité dont j'étais capable à l'âge de quatorze ans et en plein état de panique, que, jamais, je n'allais mourir aussi rapidement, et que, jamais, jamais, jamais, quelqu'un sur cette planète n'allait me comprendre vraiment. J'étais seule au monde.

Soudain, je me suis mise à courir à toute allure. Le temps s'était mis à galoper comme un guépard qui fonce sur sa proie. La police allait arriver bientôt ! Je devais disparaître, et vite ! Une poussée d'adrénaline me transporta au-delà des limites de mon corps. Chacune de mes foulées heurtait durement le sol, ma respiration était saccadée, mon cœur cognait si fort dans ma cage thoracique qu'il semblait sur le point d'éclater.

J'ai traversé un parc et je me suis retrouvée dans un quartier résidentiel. Des sirènes ont retenti au loin, m'arrêtant dans ma course folle, mais je n'ai pas tourné la tête pour voir les voitures de police. J'ai balayé rapidement les lieux du regard, puis je me suis remise à courir, vers une maison. J'ai grimpé une clôture, je me suis élancée de l'autre côté qui donnait dans la cour arrière, et je me suis cachée dans la haie qui délimitait le terrain, tout au fond.

Je suis restée assise là pendant un très long moment. Je tenais fermement mes jambes contre ma poitrine, dans le cercle de mes bras. Je me berçais doucement. J'étais incapable d'avoir une seule pensée claire. Un nombre incalculable de débris d'images tourbillonnaient dans ma tête, telles de minuscules pièces de puzzle.

Le temps avait suspendu sa course, le vent ne soufflait plus dans les arbres, les oiseaux ne chantaient plus, les insectes ne bougeaient plus, l'avion dans le ciel ne se déplaçait plus, même l'air ne frémissait plus. Il n'y avait plus que le bruit ténu de ma respiration, le faible tremblement de mes mains et le bourdonnement tonitruant dans mes oreilles.

Je me suis alors demandé si je n'étais pas morte à bout de souffle, à bout de forces, à bout de vie. Peut-être que, quand on meurt, les choses et les êtres s'immobilisent à tout jamais. Peut-être qu'on se retrouve confiné dans un monde parallèle où on reste seul jusqu'à la fin des temps. Peut-être que le prix à payer pour avoir vécu est d'être châtié de cette façon sadique. Peut-être que la vie est tout simplement un cadeau empoisonné. Peut-être que je devrais partir maintenant à la recherche d'un ballon Wilson pour ne pas passer l'éternité complètement seule au monde*.

Puis le bourdonnement s'est soudainement arrêté. Tout a recommencé à se mouvoir autour de moi, même la pelouse verte sous mes bottes. Le temps avait repris son cours normal. J'ai cligné des yeux à quelques reprises pour m'assurer que je n'étais pas en train de vivre un mirage. Mais non, il s'agissait bien de la réalité. Je suis alors sortie de la haie et j'ai levé les yeux vers le ciel. Les rayons du soleil réchauffaient mon visage marqué par les dernières semaines.

J'ai haussé les épaules et je me suis mise à marcher.

Environ trente minutes plus tard, je suis arrivée à une station-service où se trouvait un téléphone public. J'ai décroché le combiné et j'ai pianoté les chiffres inscrits sur le bout d'essuie-tout. Après quelques sonneries, une voix d'homme s'est fait entendre.

---

* *Seul au monde*, film réalisé par Robert Zemeckis, en 2000, personnage principal joué par Tom Hanks.

— Ouais, allô.

— Allô... Euh... Est-ce que je peux parler à Alan, s'il vous plaît ?

— Ouais, c'est moi. C'est qui ?

— Euh... Je m'appelle Arielle... Une de tes amies qui travaille au McDo m'a dit de t'appeler...

— Hum... Maria ?

— Oui, je suppose. Elle a pas eu le temps de me dire son nom.

— Hein ? Comment ça ? Je comprends pas.

— Ben... J'étais aux toilettes quand elle est venue m'avertir que les flics s'en venaient pour moi...

— Les flics ? Pourquoi ?

— Ben... Je suis portée disparue... Et, apparemment, ma face est à la télé...

— Oh ! Arielle Desabysses ! Ouais, j'ai vu le reportage ! Mais pourquoi tu m'appelles ?

— Elle m'a dit que tu pourrais m'aider.

— Ah... Ouais, OK... Écoute, dis-moi où tu es et je viens te chercher.

– Je suis à un Petro Canada sur Maurice-Duplessis, je crois.

– OK, je sais où t'es. J'arrive.

Il a alors coupé la communication et j'ai raccroché le combiné. Je suis allée m'asseoir sur le trottoir. J'ai allumé une cigarette et j'ai attendu patiemment qu'Alan arrive.

Après plusieurs minutes, une voiture s'est arrêtée devant moi et un homme s'est penché vers le banc passager pour ouvrir la portière. Je me suis levée pour entrer dans l'auto. Il m'a souri. Il était beau comme un dieu ! Il ressemblait au rappeur DMX, mais avec la peau café au lait. Je lui donnais à peu près trente ans. Il a commencé à rouler, vers une destination qui m'était encore inconnue.

– Donc, c'est toi, la fameuse Arielle.

– Oui, il semblerait...

– Si je devine bien, t'as pas de place où aller maintenant que ta face est partout.

– Ouais... C'est un peu ça...

– On va aller chez moi pour commencer. Je vais passer quelques coups de fil. J'ai des contacts.

– Des contacts pour quoi ?

– Des gens qui savent quoi faire dans ce genre de situation.

– OK...

Après quelques minutes de silence, il a immobilisé la voiture devant une maison dans le secteur de Rivière-des-Prairies. Il est sorti de l'auto et j'ai fait pareil. Je l'ai suivi jusqu'à la porte d'entrée, le nez baissé sur mes bottes, trop intimidée pour garder la tête haute. Il a déverrouillé la porte et nous sommes entrés chez lui. Il a enlevé ses souliers, alors je l'ai imité, j'ai enlevé mes bottes. Nous sommes montés à l'étage où se trouvait sa chambre. Il s'est assis sur une chaise d'ordinateur tandis que je m'assoyais sur le lit, faute d'autre chaise.

– Au fait, Arielle, as-tu un peu d'argent ?

– J'ai environ mille deux cents dollars. Pourquoi ?

– Ben... Dans ta situation, t'as pas beaucoup d'options. Ici, ta face est partout, les flics te recherchent. Tu peux continuer à courir en espérant qu'ils t'attrapent pas ou tu peux te rendre toi-même au poste de police ou tu peux disparaître complètement.

– Disparaître complètement ?

– Ouais. Sortir du Québec. T'enfuir pour vrai.

– Mais pour aller où ? Et rendue là-bas, je fais quoi ?

136

– Ça, c'est pas moi qui s'en occupe. Va falloir que tu parles avec Damien. Ben... si ça t'intéresse...

– Euh... Je sais pas... Oui, je suppose...

Honnêtement, à ce moment-là, je ne savais pas ce que je voulais vraiment. Disparaître ? Était-ce la meilleure chose à faire ? Mais, en même temps, n'était-ce pas ce que je souhaitais au fond de moi depuis très longtemps ? Partir ailleurs, fuir bien loin, essayer de me sauver de mes démons intérieurs qui me pourchassaient perpétuellement. Agir, réagir, faire bouger les choses, provoquer le destin et lui mettre sous le nez un doigt d'honneur avec une grossièreté indicible.

– Oui, oui, OK, je veux disparaître. Partir loin.

Il a sorti son téléphone portable de sa poche de jeans et a appelé son ami.

– Ouais, Damien, c'est moi. (Silence) Ouais, ça va, et toi ? (Silence) Ouais, je t'appelle parce que Arielle, t'sais, la fille des nouvelles, elle est avec moi en ce moment. (Silence) Ouais, elle est chez moi. Je lui ai dit que tu pourrais l'aider à sortir du Québec. (Silence) Ouais, elle a de l'argent. (Silence) Ouais, donc, si tu pouvais venir lui parler, ça serait bien. (Silence) OK, cool, bye.

Alan a remis son téléphone portable dans sa poche et il m'a fixée droit dans les yeux.

– Damien va passer plus tard ce soir. Pendant qu'on l'attend, tu veux faire quoi ? T'as faim ?

– Non... J'ai mangé tantôt...

Il a fait rouler sa chaise vers moi. Il a mis ses mains sur mes cuisses et j'ai levé lentement les yeux vers lui. Il me fixait tendrement. Je me suis sentie rougir de gêne.

– J'ai entendu parler de toi...

– Ouais, à la télé, tu me l'as dit tantôt.

– Non... Oui... Mais je veux dire qu'Alice m'a parlé de toi.

– Tu connais Alice ?

– Ouais, elle m'a dit que tu es partie de chez elle un après-midi et que t'es plus jamais revenue. Qu'est-ce qui s'est passé ?

J'ai compris plus tard que le monde des gangs de rue est petit. Tout le monde connaît tout le monde.

– Ben... Son amie Sarah m'a proposé de venir avec elle pour parler à son chum...

– Ouais, OK ... Je comprends... T'as dansé, alors ?

– Oui...

Alan s'est alors penché vers moi et m'a embrassée tout doucement. Il s'est levé et m'a fait m'allonger sur le lit. Pour la première fois, j'étais consentante, j'avais vraiment envie de lui. Quelque chose au fond de ses yeux m'attirait. J'avais succombé à son charme.

Il m'a déshabillée lentement et il s'est dévêtu à son tour. Il a embrassé mon front, mes joues, mon cou. Puis il s'est glissé en moi. Ma tête ne s'est pas séparée de mon corps ; mon âme est restée là. Pendant un bref moment, je me suis sentie en sécurité entre ses bras musclés.

J'ai eu la prodigieuse – et éphémère – sensation que la vie n'avait peut-être pas encore quitté entièrement mon être.

Chapitre 9

L'espoir est un état d'esprit [...]
C'est une orientation de l'esprit et du cœur [...]
Ce n'est pas la conviction
qu'une chose aura une issue favorable,
mais la certitude que cette chose a un sens,
quoi qu'il advienne.

Vaclav Havel

Le soir même, Damien est venu chez Alan et nous nous sommes présentés. C'était un bel homme : grand, costaud, les cheveux noirs, les yeux brun foncé, des lèvres charnues.

Alan est parti prendre un verre dans un bar, nous laissant seuls pour discuter. Damien et moi, on s'est assis à la table de cuisine.

— Alan m'a dit que tu voulais t'en aller d'ici.

— Euh... Oui, si c'est possible...

— Bien sûr, tout est possible dans la vie. Combien d'argent as-tu ?

— Environ mille deux cents dollars.

— OK. Va falloir qu'on te fasse de nouveaux papiers d'identité. Quand ça va être fait, quelqu'un va t'emmener à Niagara Falls.

— À Niagara Falls ?

— Ouais, c'est une place sûre. En plus, y a beaucoup de Québécoises en fugue là-bas. Tu te sentiras pas trop seule.

— OK. Et c'est qui, ce quelqu'un ?

— Un contact. T'as pas besoin de connaître son nom. T'as juste besoin de savoir que c'est une personne en qui tu peux avoir confiance.

— En qui je peux avoir confiance... Ça, ça m'étonnerait. On peut faire confiance à personne sur cette Terre.

— T'as bien raison, ma belle. Mais, de confiance, ça veut dire qu'il va t'emmener du point A au point B en toute sécurité.

— Ouais, et je fais quoi rendue là-bas ?

— Une autre personne va t'accueillir. Tu verras avec elle toutes les options possibles.

J'ai alors baissé les yeux vers la table. Je doutais de ce plan, mais, en même temps, je ne trouvais aucune raison de rester à Montréal. Les policiers me recherchaient. J'avais terriblement peur à l'idée de changer d'identité et de ville, mais je devais partir avant que des événements encore plus effroyables que tout ce que j'avais vécu se produisent dans cette métropole.

144

– Ouais, c'est bon. Je veux aller à Niagara Falls.

– Parfait. C'est 400 $ pour une fausse carte d'assurance maladie, 500 $ pour ton transport et 200 $ pour moi.

– Je dois te payer maintenant ?

– Ouais.

J'ai sorti les billets de mon sac à dos et les ai aussitôt tendus à Damien. Il les a pris et les a mis dans son portefeuille.

– Bon, je dois y aller. Sois prête à partir demain soir.

– Demain soir ? Déjà ?

– Oui, ma belle. Faut faire vite quand t'as les flics qui te collent au cul.

Une fois seule, je suis restée assise à fixer la table pendant un très long moment. Mon cerveau ne fonctionnait plus du tout. Après je ne sais combien de temps, Alan est revenu et nous sommes allés nous coucher. J'ai eu du mal à m'endormir, trop stressée par le changement de vie majeur qui m'attendait, mais aussi parce que j'avais envie de *sniffer*.

Le lendemain s'est déroulé très rapidement. J'ai juste eu le temps de faire l'amour avec Alan, de manger un morceau et d'aller sous la douche. Pendant que je me séchais les cheveux dans la salle de bains, Damien est apparu dans l'embrasure de la porte.

– C'est l'heure.

J'ai hoché la tête et éteint le séchoir. J'ai pris mon sac à dos et je suis descendue rejoindre Damien au rez-de-chaussée, Alan sur les talons. Arrivée devant la porte d'entrée, je me suis retournée vers Alan. Il m'a souri en me caressant doucement le visage.

– Ça va bien aller, Ari, tu vas voir.

J'ai souri à mon tour, puis nous avons échangé un dernier baiser fougueux. Alan a ouvert la porte et on est sortis de la maison. J'ai suivi Damien jusqu'à une voiture noire. La vitre teintée s'est baissée, laissant apparaître le visage d'un jeune homme. Visiblement québécois, il avait les cheveux et les yeux bruns.

– C'est toi, Arielle ?

– Oui.

– Embarque.

J'ai tourné les yeux vers Damien ; il m'a fait un signe de tête qui semblait vouloir dire de ne pas m'inquiéter. Je suis donc montée dans la voiture. L'homme a remonté sa vitre et il a appuyé sur l'accélérateur. Au bout de quelques minutes, me sentant obligée de briser ce silence déroutant, j'ai essayé de faire la conversation.

– Donc, tu m'emmènes à Niagara Falls. J'y suis allée une fois, avec ma famille. C'est une belle place.

– Arrête.

– Arrêter quoi ?

– De parler. Je veux rien connaître de toi. T'es juste un contrat. Je te conduis vers ta destination, point barre.

J'ai hoché la tête et je me suis mise à fixer mes bottes. Des questions et des inquiétudes ont envahi mon cerveau, mais je les ai aussitôt chassées en me répétant dans ma tête que c'était la bonne chose à faire. J'essayais de me convaincre moi-même. Environ une demi-heure a passé et la voiture s'est arrêtée. J'ai regardé par la fenêtre, mais je ne reconnaissais pas les lieux. On était à l'arrière d'un garage abandonné ou un bâtiment de ce genre (dans le secteur de Rivière-des-Prairies, je crois, mais je peux me tromper). Je sais seulement que le stationnement désert donnait sur un bois. Je ne comprenais pas. On devait quitter Rivière-des-Prairies. Dans ce cas, pourquoi j'avais l'impression d'y être encore ? Est-ce qu'on avait tourné en rond ? Avait-il fait exprès afin que je sois totalement désorientée ? J'aurais *dû* porter attention au parcours emprunté... Mais est-ce que ç'aurait vraiment changé quelque chose ? De

147

toute façon, je n'ai aucun sens de l'orientation. Même aujourd'hui, je n'ai pas la moindre idée où se trouvent les points cardinaux...

Une angoisse foudroyante a jailli dans tout mon corps, comme si je recevais des électrochocs. J'ai tourné des yeux affolés vers l'homme.

– Pourquoi on s'arrête ici ?

– Parce que quelqu'un va venir te donner tes nouveaux papiers d'identité.

Je ne l'ai pas cru, car je réalisais au même moment que Damien ne m'avait jamais demandé de photo. Comment pouvait-il me fournir une fausse carte d'identité sans photo de moi ? Comment Alan avait-il pu se montrer aussi attentionné s'il savait dans quel genre de merdier il m'envoyait ? Est-ce que sa gentillesse était intentionnelle ? Pour tromper ma vigilance ? Je n'ai jamais pu répondre à cette question. Avec les années, je me suis résolue à croire que ni Alan ni Damien ne savaient le sort qui m'était réservé.

J'ai ouvert brusquement la portière et je me suis élancée à l'extérieur. J'ai couru le plus rapidement possible, mais un homme à la peau foncée m'a soudainement plaquée au sol. Mon crâne a percuté l'asphalte et j'ai eu envie de vomir. L'homme a soulevé ma tête et l'a recouverte d'un sac en toile.

Je me suis débattue violemment ; je donnais des coups de poing et des coups de pied à l'aveuglette. J'étais terrifiée et enragée, mais la fureur d'une jeune adolescente

148

sous-alimentée ne suffit pas face à un homme. Il m'a frappée en plein visage en cognant violemment ma tête contre l'asphalte et je me suis évanouie.

Au moment où j'ai repris conscience, j'ai voulu me remettre à me débattre, mais je me suis rendu compte que mes jambes ainsi que mes mains étaient attachées avec de la corde. J'ai décidé de conserver mes forces pour un éventuel affrontement.

L'homme m'a transportée sur quelques mètres, puis j'ai entendu une porte s'ouvrir en grinçant, et une deuxième porte s'ouvrir avec un son étouffé. L'homme a descendu des marches, me trimballant toujours sur son épaule, et il m'a laissée tomber sur un sol dur. Il a enlevé le sac de toile de sur ma tête et j'ai alors découvert un spectacle cauchemardesque.

Six autres filles étaient assises sur le sol à ma gauche, enchaînées comme des esclaves, les yeux hagards, les cheveux gras et emmêlés, le teint livide, leurs vêtements noirs de crasse, chiffonnés comme du papier qu'on froisse entre nos mains et qu'on lance furieusement au bout de nos bras.

L'endroit dégageait une odeur écœurante. J'ai compris que ces relents provenaient des seaux en métal qui se trouvaient au pied du mur opposé ; ils étaient remplis d'excréments et d'urine. Il faisait sombre ; une seule ampoule pendait du plafond pour nous éclairer. Les murs en béton étaient maculés de poussière et d'autres substances...

149

L'homme a soudain sorti d'un étui en cuir une seringue ainsi qu'un flacon renfermant un liquide clair. Il a introduit l'aiguille dans la petite bouteille, puis le liquide a lentement rempli le réservoir de la seringue. Il m'a alors pris fermement le bras. Les yeux arrondis d'effroi, j'ai essayé de me dégager de son étreinte, mais avec les mains liées, c'était impossible de réussir.

– ARRÊTE DE BOUGER ! a-t-il crié en me giflant sauvagement. D'une façon ou d'une autre, tu vas te faire piquer. C'est toi qui décides si tu veux que ça se fasse avec des côtes cassées en plus.

Ses menaces ont eu raison de moi. Je me suis calmée d'un seul coup. Il a donc inséré l'aiguille dans une veine de mon bras droit et, instantanément, j'ai senti mon esprit prendre son envol. Ce n'était pas de l'héroïne, mais une sorte de calmant que l'on peut trouver dans les hôpitaux – aujourd'hui, je peux faire cette distinction, car on m'a injecté quelquefois des calmants à l'hôpital pour des examens. J'avais l'impression que mon âme s'évaporait peu à peu et ses fines gouttelettes restaient en suspension dans l'air, au-dessus de mon enveloppe corporelle. J'entendais tout, je voyais tout, mais j'étais incapable de saisir le sens de ce qui se disait, ni de ce que je voyais. Je me suis même mise à sourire bêtement. Une douce quiétude chatouillait l'intérieur de mon corps, comme si un plumeau parcourait mes veines pour effacer les souillures infligées à mes organes. J'étais sereine et mon âme voltigeait avec légèreté dans la pièce. Puis je me suis endormie, la tête contre mes genoux.

J'ignore combien de temps a duré mon sommeil chimique. Quand je me suis réveillée, j'ai eu l'impression que le sous-sol empestait encore plus qu'à mon arrivée. J'ai levé mes mains liées devant mon nez pour tenter de limiter la puanteur que je respirais.

– Ça va ? m'a alors demandé une des filles.

J'ai tourné la tête vers elle, et j'ai été révulsée. Elle ressemblait tellement à ma petite sœur ! Elle devait avoir à peu près onze ou douze ans, comme Mélissa. Elle était si squelettique que j'ai dû me retenir de fondre en larmes. Ses cheveux châtain clair avaient été coupés ras et sans soin. Ses yeux bleus étaient exorbités, soulignés de larges cernes violets. Ses lèvres minces étaient gercées, ses joues étaient creuses et son nez, fracturé. Ses poignets et ses chevilles attachés étaient sanguinolents. Son cou et ses bras étaient couverts d'ecchymoses. Ses vêtements étaient déchirés et sales au point qu'elle donnait l'impression d'avoir été roulée dans la boue.

Une seule idée prenait maintenant toute la place dans ma tête : je devais m'échapper de cette prison abjecte et sauver cette gamine par la même occasion. La protéger comme si j'étais sa grande sœur.

– J'ai déjà vu mieux... Comment tu t'appelles ?

– Je sais pas...

– Euh... Comment ça, tu sais pas ?

– Je sais pas... Je me souviens pas d'où je viens... Je me souviens juste que je me suis réveillée ici un jour. Toi, tu t'appelles comment ?

– Arielle... Ça fait combien de temps que t'es ici ?

– Aucune idée... Comme tu peux voir, y a pas de fenêtres. C'est dur de savoir si c'est des jours ou des semaines qui ont passé.

À ces mots, une frayeur indescriptible s'est emparée de mon être tout entier. Je devais réussir à m'enfuir. Mourir ne me faisait pas peur, mais je refusais catégoriquement de rendre l'âme après qu'on m'eut martyrisée pendant des semaines, voire des mois. Je ne voulais pas vivre à tout prix, mais je ne voulais pas crever dans cette cave sinistre. J'avais beau me détester, haïr ma vie, mais je ne méritais pas de finir comme ça. Aucune des filles présentes ne méritait ça...

– Ils font quoi avec nous ? Qu'est-ce qui va se passer ?

– Ben... Pas grand-chose... On reste ici. Des fois, ils nous donnent une tranche de pain et un verre d'eau. Quand on s'énerve et qu'on se met à crier, ils nous battent et nous piquent après. Pis, des fois, un des gardes baise l'une d'entre nous.

Sa réponse m'a désarçonnée. Quelque chose clochait. Ça me paraissait impossible qu'on soit toutes retenues prisonnières pour jouer le rôle d'une poupée gonflable uniquement.

– Est-ce qu'il y a des filles qui sont sorties d'ici ? ai-je alors demandé.

– Depuis mon arrivée, deux filles ont été emmenées.

– Où ?

– J'en ai aucune idée... Elles sont parties et elles sont jamais revenues.

À cet instant, un homme à la peau noire a descendu les marches comme s'il avait le feu au cul et nous a lancé un regard meurtrier.

– FERMEZ VOS GUEULES !

Puis il s'est précipité vers moi et m'a balancé un coup de pied dans l'estomac. L'oxygène a été brutalement expulsé de mes poumons et j'ai cru que j'étais en train de m'asphyxier. Je hoquetais. Je manquais littéralement d'air. Finalement, très lentement, j'ai recommencé à respirer normalement.

– INTERDICTION DE DIRE UN SEUL MOT ! a hurlé l'homme. SINON JE REMETS ÇA !

Sur cette menace, il a tourné les talons et remonté l'escalier. Je me suis couchée en position fœtale sur le sol glacial et j'ai fermé les yeux. J'ai dû m'endormir, car l'homme à la peau d'ébène m'a réveillée en me giflant. J'ai ouvert les yeux sur un seau en métal qu'il avait déposé juste à côté de moi.

– Si t'as envie de pisser ou de chier, c'est maintenant.

Je l'ai regardé avec les yeux tout ronds, ne sachant pas ce que je devais faire exactement. Ma brève hésitation l'a fâché ; il m'a empoignée par les cheveux et m'a mise debout.

– Là, tu t'accroupis et tu fais ce que t'as à faire, m'a-t-il ordonné.

J'ai obéi, malgré moi, et j'ai uriné devant les sept paires d'yeux qui m'observaient, totalement humiliée. Comment pouvaient-ils réduire des gamines innocentes à l'état d'un animal mis en cage ? Les fesses au-dessus du seau, je me suis promis que cet homme allait payer pour sa cruauté. Je ne savais pas encore comment ni quand, mais j'allais me venger, en mon nom et au nom de toutes ces filles qui avaient échoué dans cet enfer sur Terre.

Les heures, les jours et les semaines se confondaient dans mon esprit. Je n'avais plus aucune notion du temps. Tout était vide. Vide de valeur, vide de morale, vide de sens. Je ne savais même plus si le temps avançait réellement ou si je vivais la même journée encore et encore. Comme si ce sous-sol obscur était un trou noir spatio-temporel qui m'engloutissait et me recrachait exactement à la même place, constamment. Pauvre petite fille maudite, condamnée à vivre le même calvaire éternellement... Je somnolais un peu, puis j'examinais la pièce à la recherche d'une quelconque manière de sortir de cet endroit, puis je somnolais encore, et ainsi de suite.

J'ai tenté à quelques reprises de parler avec les autres filles, mais elles ne me répondaient pas, elles fuyaient mon regard, elles m'ignoraient. Je ne me souviens pas de leurs traits, par contre, je n'oublierai jamais leur regard vide, comme si leur âme s'était éteinte à tout jamais. J'avais également essayé de discuter à nouveau avec la fillette qui me rappelait ma petite sœur, mais elle n'a même pas ouvert la bouche. Et je ne pouvais que comprendre son choix.

Mon corps était tout engourdi à force de ne pas bouger, et mon esprit était plongé dans une sorte de torpeur à force de fixer le même mur maculé. J'avais terriblement peur. J'essayais de toutes mes forces de ne pas me laisser couler, mais garder son sang-froid ainsi que des pensées lucides était un travail hautement laborieux dans ces conditions inhumaines.

À un certain moment, des jours ou des semaines après mon arrivée, la petite Mélissa s'est mise à pleurer bruyamment, de forts et tristes sanglots qui auraient ému n'importe quel cœur humain normalement constitué. Mais, bien sûr, puisque nous étions entourées seulement de monstres, l'homme noir est apparu subitement en bas des marches, puis il s'est rué vers elle et lui a balancé des coups de pied dans l'abdomen. Elle hurlait de douleur tout en continuant de sangloter.

– QU'EST-CE QUE J'T'AI DÉJÀ DIT ? J'VEUX PAS ENTENDRE UN SEUL SON ! a-t-il crié.

Les autres filles se sont bouché les oreilles avec leurs bras et elles ont fermé les yeux. Pour ma part, je ne pouvais pas ignorer ce massacre. J'étais incapable d'en entendre ni d'en voir davantage, alors j'ai voulu lui porter secours, de la seule manière possible quand on est ligotée. J'ai hurlé avec toute ma fureur :

– EILLE ! MON TABARNAC ! C'est quoi ? T'es tellement faible pis dégueulasse qu'y faut que tu t'en prennes à une enfant pour te sentir fort ? Ben t'es pas fort, t'es rien qu'une merde, que sa mère alcoolique oubliait d'aller chercher à l'école à la fin des cours et que son père dopé battait pour se donner l'impression qu'il contrôlait quelque chose dans sa pauvre vie de merde ! T'es pathétique !

Pendant que je crachais mon venin comme une vipère, l'homme s'est tourné lentement vers moi pour me fusiller du regard.

– Quoi ? J'suis proche de la vérité, hein, mon crisse ? ai-je alors continué, animée par une satisfaction malfaisante.

Je ne pouvais plus m'arrêter. Je ne pouvais plus me taire. Je voulais juste lui enfoncer son clou.

– Tu vas le r'gretter, ma p'tite, m'a-t-il menacée en me regardant méchamment. Pis crois-moi, j'vais faire tout ce que j'peux pour que ça soit le gars le plus dégueulasse qui t'achète à Niagara Falls, a-t-il murmuré à mon oreille.

156

Il m'a plaquée sur le sol, puis il m'a retournée, la face contre le plancher de béton. Je croyais qu'il allait me passer à tabac, mais je me trompais. Il a fait encore pire. Il a tiré sur mon pantalon, le baissant jusqu'à mes genoux tout en pressant fermement ma tête contre le sol, puis j'ai senti que son sexe cherchait un orifice, mais pas celui qui avait été violé, et violé, et violé au cours des dernières semaines. Il s'est glissé entre mes fesses, puis, d'un seul coup, il a pénétré dans mon rectum. Je n'ai pas pu m'en empêcher ; des hurlements incontrôlables, comme ceux d'un fauve transpercé par un projectile et qui agonise dans une douleur intenable, ont fusé hors de ma gorge.

Mais, soudain, je me suis souvenue de mon projet d'évasion. C'était probablement la seule occasion qui me serait à jamais offerte. Je n'ai pas séparé ma tête de mon corps ; je devais rester présente d'esprit pour la suite des choses.

L'heure fatidique avait sonné. Je devais choisir ma voie, une bonne fois pour toutes : continuer de tomber tête la première dans cet abîme qui se creusait sous mes pieds depuis des semaines ou combattre férocement pour ma survie. Et aussi pour sortir de cet enfer la gamine qui me rappelait Mélissa. Cette enfant incarnait la seule vraie chose à laquelle je pouvais encore m'accrocher : le souvenir de ma famille – qui était si loin à présent. Au cours des dernières semaines, je m'étais réfusé de penser à ma famille, car ç'aurait pu me blesser beaucoup plus que me faire du bien.

Et j'avais réussi jusque-là. Mais, à présent, la seule pensée réconfortante et apaisante était l'image de mes parents, de ma sœur et de mes frères.

J'ai donc cessé de hurler, malgré l'intense douleur qui labourait mes entrailles, et je me suis mise à réfléchir à toute vitesse. Je fouillais méticuleusement du regard tous les contours, les pourtours, les coins et recoins qui se trouvaient dans cette pièce. Mes pensées entraient violemment en collision entre elles, quand, tout à coup, une idée est née de tout ce fracas.

J'ai attendu « patiemment » qu'il atteigne l'orgasme en obligeant mon cerveau à demeurer concentré sur l'objectif visé. L'homme a finalement éjaculé et il m'a retournée vers lui.

À cet instant précis, j'ai tiré sur le trousseau de clés qui pendait de sa poche. À la vitesse de la lumière, je me suis redressée sur mes genoux et j'ai enfoncé une des clés dans son œil gauche. Il s'est mis à pousser des cris de douleur. J'ai alors transféré tout mon poids sur mon genou droit, ce qui a enfoncé la clé un peu plus profondément, et j'ai tiré vers le bas. Son œil s'est fendu partiellement et sa paupière inférieure s'est un peu déchirée. Du sang ainsi qu'un liquide gélatineux coulaient lentement sur sa joue. Je m'attendais à ce qu'il me frappe, mais puisqu'on n'était pas dans un film d'horreur américain, il s'est tout simplement évanoui. Son corps s'est effondré sur le sol dans un bruit mou.

J'ai agi sur-le-champ, sachant pertinemment que le temps était maintenant compté et extrêmement précieux. Je me suis tournée vers la gamine et j'ai croisé son regard terrorisé.

– T'inquiète, fais-moi confiance, tout va bien se passer. Aide-moi à défaire la corde, ai-je chuchoté en tendant mes mains liées vers elle.

Je l'ai vue déglutir avec difficulté, je lui ai donc adressé un pâle sourire d'encouragement.

Soudain, tandis que j'étais perturbée au plus haut point, que j'étais en état de confusion extrême, que j'étais en situation de vie ou de mort, cette fillette inconnue s'est métamorphosée en ma petite sœur. Je ne voyais plus le corps de cette étrangère ; je ne voyais que l'image de Mélissa. Elle s'est agenouillée et a entrepris de défaire mes liens qui étaient reliés au mur. Lorsqu'elle a eu fini, je me suis empressée de défaire les liens autour de mes chevilles, puis j'ai défait les siens. J'ai remonté mon pantalon et je me suis mise debout, ensuite j'ai aidé ma « sœur » à se lever. J'ai pris le fusil que l'homme avait à sa ceinture.

Puis j'ai vu le regard des autres prisonnières, ces yeux qui me suppliaient désespérément de les aider. Une des filles a murmuré un faible « s'il te plaît ». Je l'ai aussitôt fait taire d'un signe de la main. Mon cœur s'est serré, mais je devais rester réaliste : je ne pouvais pas toutes les sauver. Malheureusement. Le temps de libérer toutes ces filles de leurs liens, l'homme à la peau d'ébène aurait retrouvé ses esprits et notre seule chance de s'en sortir vivantes serait anéantie. Et je ne pouvais pas lui tirer une balle avec son arme sans que les personnes à l'étage supérieur soient alertées. J'ai fermé les yeux et j'ai pris une profonde inspiration pour essayer d'étouffer ma culpabilité.

Pour la vie de Mélissa, je devais rester rationnelle – autant que mon esprit troublé le permettait. Je devais la protéger, et ce, à n'importe quel prix ; tel était mon devoir de grande sœur. J'ai donc pris la main de ma sœur et je l'ai guidée jusqu'à l'escalier. Les autres filles se sont mises à pleurer presque imperceptiblement. Nous avons monté les marches sur la pointe des pieds. J'ai reconnu mon sac à dos, qui traînait sur une des marches, parmi plusieurs autres sacs. Je l'ai mis sur mon dos, puis, une fois rendue devant la porte, j'ai fait signe à Mélissa de garder le silence.

J'ai ouvert la porte très tranquillement. J'ai passé ma tête dans l'entrebâillement et j'ai balayé du regard la pièce qui se trouvait de l'autre côté. À notre droite, trois ou quatre mètres seulement nous séparaient d'une porte vitrée, la porte qui s'ouvrait sur la liberté ; à notre gauche, environ la même distance nous séparait d'un autre escalier, qui menait sans doute vers le reste de la bâtisse.

Je me suis avancée vers la porte, ma sœur sur les talons. J'ai regardé par la vitre sale si un autre monstre faisait le guet dehors. La voie était libre ! J'ai poussé la porte, qui a grincé bruyamment, et je me suis précipitée à l'extérieur. Le soleil était en train de se lever.

Des hommes se sont mis à hurler des mots qui m'étaient incompréhensibles.

– COURS, MÉLI, COURS ! ai-je crié en regardant tout droit devant moi.

On a couru le plus rapidement possible, nos pieds foulant violemment l'asphalte. On a atteint un bois où on a continué notre course folle. Les voix derrière nous se rapprochaient dangereusement. Mon cœur battait la chamade, ma respiration était saccadée, la sueur coulait sur mon visage ; l'adrénaline avait pris possession de mon corps tout entier et de mon cerveau. À un certain moment, j'ai entendu Mélissa s'affaler sur le sol. Je me suis tout de suite tournée vers elle pour la découvrir étendue sur le gazon à se tenir la cheville.

– Méli ! Merde ! Tiens-toi après moi ! ai-je chuchoté en l'aidant à se remettre debout.

En même temps que je disais ça, un coup de feu a retenti. Presque simultanément, une balle est venue s'écraser sur l'arbre juste à côté de nous. J'ai levé le bras, j'ai tiré sur le cran d'arrêt, puis j'ai pressé la détente, comme je l'avais vu faire dans une multitude de films d'action. À ma grande surprise, la décharge de l'arme a provoqué un brusque recul et j'ai été propulsée au sol, comme Mélissa. J'ai entendu un homme hurler de douleur, puis un autre coup de feu a été tiré ; celui-ci a frôlé la cuisse de ma sœur, ce qui lui a arraché des cris et des sanglots.

Étendue sur le gazon parmi les brindilles et les insectes, elle se tortillait de douleur. Des larmes ont inondé mon visage, des pleurs que je ne m'accordais plus le droit de verser depuis des semaines. Je me suis relevée d'un seul bond. J'ai pris la main de ma sœur pour l'aider à se remettre debout, mais en vain. Elle s'était évanouie, sûrement à cause de la douleur et de son état de santé lamentable.

J'ai alors vu les hommes qui fonçaient vers moi et je me suis rendu compte qu'ils n'étaient plus qu'à une trentaine de mètres. Désespérée, j'ai lâché la main de Mélissa et je suis repartie à la course. Je me répétais comme un leitmotiv que j'allais revenir la sauver, mon visage mouillé de larmes amères.

Je ne sais pas du tout pendant combien de temps j'ai couru, ni quels chemins j'ai empruntés. Je me souviens seulement des arbres qui défilaient rapidement, des branches qui me fouettaient, des coups de feu tirés ici et là, et des voix qui hurlaient derrière moi. Je me souviens aussi que, à un certain moment, mes pas ont foulé un trottoir et que, à un autre moment, je suis montée dans un autobus, qui s'est arrêté plus tard au terminus Henri-Bourassa.

Je ne me souviens pas du trajet, ni si des gens me dévisageaient. Je sais seulement que je suis descendue de l'autobus totalement déconnectée du monde réel. Ironiquement, j'étais revenue au point de départ de mon cauchemar. Je suis allée dans les toilettes publiques, où je me suis nettoyée avec des essuie-tout humides et où j'ai changé de vêtements. Une fois sortie, j'ai marché jusqu'à la porte qui menait à la station de métro.

Tandis que je donnais des pièces de monnaie au guichetier, mon regard a été attiré par une affiche collée sur la vitrine devant moi. C'était une photo de moi avec la mention « Portée disparue ».

J'ai baissé la tête et me suis hâtée de franchir le tourniquet. À bout de forces, j'ai échappé mon sac à dos dans les escaliers roulants. Il a déboulé jusqu'en bas, où il est resté coincé dans le mécanisme. J'ai haussé les épaules. J'étais si exténuée, si faible, que la planète aurait pu soudain s'arrêter de tourner que je n'aurais même pas sourcillé. Une fois rendue en bas des marches, j'ai tiré de toutes les faibles forces qui me restaient sur mon sac à dos. Il a fini par se décoincer en se déchirant et en me projetant par terre. Tant bien que mal, je me suis relevée et j'ai marché lentement vers les rails du métro, en m'appuyant contre le mur afin d'être capable de continuer d'avancer. Je n'avais même plus assez d'énergie pour me maintenir en équilibre sur mes deux pieds.

Je ne savais pas vraiment ce que je faisais, mais je savais que ma vie devait finir ici, à cet instant précis. J'entendais au loin les wagons du métro qui se rapprochait. Hypnotisée par ce bruit, je me suis rapprochée lentement des rails, comme si des sirènes m'appelaient de leurs chants magiques, comme si j'étais ensorcelée par le souffle chaud d'une créature fantastique. Comme si la Faucheuse me parlait à l'oreille et m'incitait à venir la rejoindre dans le monde des morts.

Rendue à la limite de l'embarcadère, j'ai fermé les yeux, vidant mon esprit de mes pensées dérisoires. Puis je me suis penchée pour me laisser tomber devant le métro qui arrivait à toute allure.

Chapitre 10*

*Dans une famille, on est tous tributaires les uns des autres.
Le malheur de l'un fait le malheur de tous.*

Germaine Versailles

---

* Ce chapitre a été écrit avec la collaboration des membres de ma famille.

Pendant que nous désertons pour aller ailleurs, pendant que nous vivons une galère quelconque, pendant que notre tête cesse de cohabiter avec notre corps, pendant que notre âme souffre horriblement, les choses et les êtres autour de nous continuent d'exister. Il serait illusoire de croire que la planète s'arrête, attendant patiemment notre retour à la réalité. La Terre continue de tourner, immuablement.

Pendant les deux mois de ma disparition, ma famille a continué d'exister.

Le jour où j'ai fugué, mes parents ont cru que j'étais allée à l'école comme d'habitude. Puis ils ont reçu un appel de la secrétaire, les avisant de mon absence. Ils ont alors cru que j'avais fait l'école buissonnière. Mais, quelques heures après la fin des cours, l'évidence s'est imposée à leur esprit : leur fille était introuvable. Mon père Henri a senti la panique le gagner et avec une telle intensité qu'il avait la sensation d'être étranglé. Sa gorge était nouée et son cœur battait trop rapidement.

Fou d'angoisse, il s'est précipité dans ma chambre et s'est mis à fouiller partout, en quête d'indices qui le condui-raient peut-être à moi. Il a lu tout ce qui lui tombait sous la main : mon agenda scolaire, mes cahiers de notes, mes journaux intimes. En vain. Rien ne pouvait l'aider à me retrouver puisque j'étais partie vers une destination que je ne connaissais pas moi-même.

Ensuite, Henri est allé chez mes amies pour vérifier si je n'étais pas simplement chez elles. À son retour, mes parents ont appelé la police et des agents sont arrivés à la maison peu de temps après. Les questions qu'ils posaient à mes parents ont eu l'effet d'une bombe sur Charlotte. Elle venait tout juste de comprendre que sa fille était vraiment partie et qu'elle ne reviendrait pas d'elle-même, car je les avais souvent menacés de fuguer.

À partir de cet instant-là, les jours, les semaines se perdaient dans un brouillard énigmatique où la clé aurait été d'obtenir des réponses à toutes leurs questions. Le temps avait ralenti au point qu'ils avaient l'impression qu'une semaine durait un mois entier.

Presque tous les soirs, ils se rendaient en voiture à Montréal-Nord et dans d'autres secteurs où les gangs de rue faisaient leur business, selon les informations de la police. Ils parcouraient les rues en espérant voir ma tête blonde apparaître dans leur champ de vision. Chaque soir, de plus en plus désespérés, mes parents rentraient à la maison sans aucune nouvelle information.

Les policiers étaient convaincus que j'avais été enlevée par un gang de rue, car presque toutes les fugues finissent ainsi. Au bout de deux semaines, les policiers leur ont expliqué que, après ce délai, ils n'avaient presque plus aucune chance de retrouver les jeunes filles disparues car, pour rentabiliser les coûts de logement, de drogues et de faux papiers d'identité qu'ils avaient dû défrayer pour elles, les gangs de rue les avaient déjà envoyées bien loin, dans un réseau de prostitution juvénile où elles seraient vendues au plus offrant. Les policiers ont tenté de préparer mes parents à la triste et dure réalité qu'ils ne me retrouveraient sûrement jamais. Mais Henri et Charlotte ne pouvaient pas se résoudre à cette idée, alors, les soirs, ils continuaient leurs recherches à Montréal.

Peu à peu, un silence glacial s'est installé dans la maison. Lors des soupers et des soirées en famille, une atmosphère lourde régnait. Personne ne souriait, personne ne riait. À chaque sonnerie du téléphone, mes parents sursautaient de peur devant la possible et terrible nouvelle que la police avait retrouvé leur fille, morte, au fond d'un ravin. Ma mère pleurait sans arrêt ; quant à mon père, il essayait de se déculpabiliser en se répétant que c'était ce que *moi* j'avais voulu et non lui. Personne ne pouvait déchiffrer sur son visage les émotions qui l'empoignaient réellement par en dedans.

169

Mes parents étaient effondrés et exténués. Ils n'étaient plus qu'un pâle reflet d'eux-mêmes. Leur projet de construction de leur nouvelle maison ne les intéressait plus du tout, eux qui avaient été si heureux à l'idée d'emménager dans une demeure où tous les détails seraient enfin à leur goût.

Pendant tout ce temps, mes parents ont continué, tant bien que mal, de se rendre au travail chaque matin. D'ailleurs, c'est par ce biais que mon visage s'est retrouvé au journal télévisé. Un matin où Charlotte est arrivée à l'école où elle travaillait, les yeux rouges et gonflés par les pleurs, une des professeurs lui a dit qu'elle connaissait personnellement Pierre-Luc Morin, annonceur à un journal télévisé, et que celui-ci venait souper chez elle le soir même. Elle a demandé à ma mère de lui fournir toutes les informations relatives à mon cas, ce qu'elle a fait aussitôt, en plus de lui raconter un mensonge qui intéresserait sans aucun doute les médias.

Il faut savoir que, dans la région métropolitaine de Montréal, environ dix fugues par jour sont signalées aux autorités. En raison de leur fréquence, ces cas n'intéressent pas beaucoup les journalistes. Mais, une histoire de disparition reliée aux gangs de rue, ça suscite un peu plus leur intérêt. Et une histoire de disparition reliée aux gangs de rue opérant par clavardage devrait les intéresser encore plus.

À bout d'espoir, prête à tout pour retrouver sa fille, Charlotte a raconté à la professeure que j'avais sûrement fugué pour rejoindre un membre de gang de rue, rencontré sans doute par clavardage. Et effectivement, cette version a intéressé les médias, car ce mode opératoire a été très utilisé dans ces années-là.

Le lendemain matin, ma mère a reçu un coup de fil l'avisant qu'une équipe du journal télévisé viendrait à la maison pour faire un reportage. Le surlendemain, mon visage s'est retrouvé à la télévision, et, par la suite, dans les journaux. Mon histoire a été assez médiatisée. De nouveaux espoirs ont alors pris racine dans le cœur de mes parents. Maintenant que la population savait à quoi je ressemblais, les appels à la police deviendraient certainement plus nombreux, ce qui augmenterait les chances de me retrouver. Peut-être...

Pour mon petit frère Mike, tout au début, cette période lui a semblé quasi ordinaire, mais au fil des jours, c'est devenu oppressant. Lors des premiers jours de ma disparition, il a continué de vivre son quotidien de gamin de sept ans, même s'il s'était aperçu que quelque chose clochait. Je n'étais jamais partie de la maison aussi longtemps. Et il savait pertinemment qu'Henri ne me l'aurait jamais permis.

Un beau matin, il a demandé à Charlotte où j'étais depuis les dernières semaines et elle lui a répondu que je dormais chez une amie. Notre mère n'a jamais été une bonne menteuse et Mike a toujours été très lucide, malgré son jeune âge. Il a tout d'abord douté de la réponse de Charlotte. Mais comme il refusait de voir que le bonheur ne régnait pas toujours dans notre foyer, que la vie ne se déroulait pas exactement comme dans les films qu'on regardait en famille, il s'est complu dans le mensonge de notre mère. Il s'est convaincu d'y croire dur comme fer, il s'est accroché à cette fausse réalité pour préserver, le plus longtemps possible, la joie enfantine et passagère que la jeunesse nous accorde.

Et son autopersuasion a fonctionné. Il continuait à s'amuser et à jouer avec sa meilleure amie Cathy, qui était aussi notre voisine. Il n'a d'ailleurs pas réagi lorsque le grand frère de Cathy a laissé échapper un rire incrédule quand il a dit à ce dernier que je dormais chez une amie depuis quelques semaines.

Cette mascarade a tenu jusqu'au jour où, Mike et Mélissa venant tout juste de sortir de la piscine, à la maison, une imposante caméra s'est matérialisée devant lui, tandis qu'un micro identifié à une chaîne télévisée lui était brandi sous le nez. La journaliste a demandé à mon frère ses commentaires sur ma disparition. Mike a figé d'un coup en entendant le mot « disparition » – pauvre petit qui ne connaissait pas encore la vérité. Le choc lui a fait complètement oublier ce qu'il a répondu à la femme ; même aujourd'hui, il n'en garde aucun souvenir. À la suite de cet événement, Mike n'a plus été capable d'ignorer les longues soirées où Charlotte pleurait et où Henri rageait en faisant les cent pas. Il ne lui était plus possible de se réfugier dans son monde protecteur et rassurant. Désormais, il voyait nettement que l'ambiance à la maison avait perdu toutes ses couleurs. Il voyait distinctement qu'ils avaient tous perdu leurs couleurs.

Pour ce qui est de Mélissa, qui avait onze ans à ce moment-là, cette période a été cauchemardesque. Dès le premier jour de ma disparition, elle s'est rendu compte que quelque chose n'allait pas. Naturellement, elle s'était aperçue, lors des semaines précédant ma fugue, que l'atmosphère à la maison était tendue et lourde, mais elle ne s'était pas imaginé que les choses étaient si insupportables pour moi.

Lorsqu'elle est revenue de l'école, à la fin d'une journée qui s'était déroulée normalement, elle a remarqué l'anxiété de Charlotte chaque fois que celle-ci jetait un œil sur l'horloge de la cuisine. Mélissa savait que j'aimais bien défier les règles de la maison – les règles de mon père, plus précisément –, mais elle savait aussi que ce n'était pas dans mes habitudes de ne donner aucune nouvelle à notre mère et, ainsi, de l'inquiéter volontairement. Plus tard, lorsque les policiers se sont présentés à la maison, Mélissa a cru que son cœur allait être éjecté de sa poitrine tellement il battait fort. Elle avait l'impression que le ciel venait de leur tomber sur la tête.

Cette nuit-là, elle s'est endormie à bout d'énergie, à force de pleurer en silence. C'est à ce moment précis que Mélissa a décidé de ne laisser transparaître aucune douleur, aucun chagrin, car elle a cru qu'elle devait demeurer forte pour supporter Charlotte. Le lendemain matin, la dure réalité lui éclata au visage : je n'étais toujours pas rentrée, ce qui signifiait sans doute que je n'allais pas réapparaître de sitôt.

En se préparant pour aller à l'école, elle a constaté qu'Henri avait pris congé, ce qui l'a énormément surprise puisque notre père ne s'absentait jamais du travail. Mélissa a alors compris que la seule chose qui pouvait le détruire, lui qui paraissait toujours si fort, inébranlable, c'était sa propre famille...

Puis le temps s'est mis à tourner lentement, sans marquer la moindre différence d'une journée à l'autre. Le soir, ma sœur avait pris l'habitude d'aller dormir dans mon lit, où elle pouvait respirer mon odeur et ressentir ma présence en serrant mon lapin en peluche rose et blanc dans ses bras. Le jour, elle ne s'intéressait plus à ses camarades, ni à ses études. En revenant de l'école, son cœur battait la chamade parce que son imagination s'emballait et qu'elle se faisait des scénarios de fin heureuse, les prenant pour la réalité. Malheureusement, chacun de ses retours de l'école ne concordait pas avec mon retour à la maison.

Puis mes parents ont reçu la visite des médias et un nouvel espoir est né dans le cœur de Mélissa. À partir du moment où l'émission sur ma disparition est parue, ma sœur a passé tous ses temps libres devant la télé, car mon visage était montré toutes les trente minutes.

Mon histoire étant alors étalée publiquement, les mauvaises langues s'en sont donné à cœur joie. Ma petite sœur entendait des ragots rapportés par d'autres enfants : leurs parents racontaient que Charlotte devait certainement être une mère indigne pour que sa fille de quatorze ans veuille s'enfuir. Les enfants ont donc commencé à ridiculiser Mélissa dans la cour d'école. Certains lui disaient même que j'étais devenue une prostituée. Mais ma sœur ne leur accordait pas la moindre importance ; elle m'aimait beaucoup trop pour écouter tous ces ragots.

Puis ma famille a emménagé dans sa nouvelle maison, où ne subsistait plus aucun souvenir de moi auquel ma sœur pouvait s'accrocher. Un jour, mes parents ont soudain informé ma sœur que j'étais rendue au poste de police. En état de choc, ma sœur n'a ressenti aucune joie, ni aucun soulagement, rien du tout au moment de cette annonce. Les blessures étaient profondes...

Mon grand frère Derrick a vécu cette période autrement. Âgé de seize ans, il était en pleine crise d'adolescence, donc obnubilé par sa quête d'identité, et terrassé par sa première peine d'amour. À cela venait maintenant s'ajouter l'éventualité que sa sœur ne retrouve jamais le chemin de la maison. Pour se protéger, il s'est réfugié sous sa carapace et s'est retiré émotionnellement du monde extérieur. Il passait ses soirées devant son écran d'ordinateur en étouffant ses cris du cœur.

Chapitre 11

La famille est une école de droiture,
d'équilibre, de force et de progression,
et ceux qui s'y soustraient
s'engagent infailliblement
dans la voie du mal et de la perdition.

Guy René De Plour

Une seconde avant que le wagon me percute de plein fouet, quelqu'un m'a tirée par le bras et m'a soustraite à l'appel mortel de la Faucheuse. Mon sauveur, mon bon Samaritain, était un homme d'une quarantaine d'années.

– Ça va, ma petite ? m'a-t-il demandé, visiblement inquiet.

Je l'ai regardé avec des yeux remplis d'affliction, sans qu'un seul mot puisse sortir de ma bouche.

– As-tu besoin d'aide ? Veux-tu que j'appelle quelqu'un ? Tes parents ? La police ?

– Police..., ai-je répondu dans un souffle.

Il a alors pris mon sac à dos, qu'il a mis sur son épaule, et a passé son autre bras autour de ma taille pour m'aider à marcher. Nous nous sommes rendus jusqu'aux tourniquets et l'homme a dit au guichetier de contacter la police.

– OK. Je leur dis quoi ?

Mais, au même moment, les yeux du guichetier se sont arrondis et il a hoché la tête. Il venait de me reconnaître. Il a téléphoné aux policiers, puis mon sauveur lui a demandé de veiller sur moi le temps qu'ils arrivent. Et il est parti...

J'ai attendu en pensant que tout ça était trop irréel, mon corps appuyé contre le mur, ma tête croyant que j'avais peut-être rendu mon dernier souffle quand l'eau du bain avait rempli mes poumons, mon âme ayant fui par le drain pour se faire porter paisiblement par les vagues, mon regard perdu dans les profondeurs de la mer, mon cœur noyé dans cet océan macabre. Pauvre petite sirène, qui a péri à cause du sortilège qu'elle avait elle-même imploré. Pauvre petite fille candide, qui a troqué sa queue de poisson contre des jambes humaines dans sa course à la liberté, mais qui est morte avant d'avoir eu le temps d'émerger de cet abysse damné.

Quelques minutes plus tard, les policiers sont arrivés à la station de métro. Ils avaient l'air furieux. (De nombreux policiers n'aiment pas les fugueurs ; selon eux, consacrer autant d'efforts à chercher de « jeunes rebelles en mal d'aventures » est une perte de temps.)

L'un d'eux m'a empoignée solidement par un bras.

– Hé ! Tout doux, les gars ! s'est exclamé le guichetier.

Je n'ai pas réagi. Ma tête était vide, mon cœur était vide, mon âme était vide. Ils m'ont tirée-poussée jusqu'à la voiture de police et ils m'ont assise sans ménagement sur la banquette arrière. Nous sommes arrivés au poste de police peu de temps après. Nous nous sommes rendus dans un bureau où ils m'ont fait asseoir sur une chaise, puis ils ont quitté la pièce. J'ai attendu en fixant le bout de mes bottes.

Quelques instants plus tard, un homme est entré dans le bureau. Il s'est assis à côté de moi et a ouvert un dossier sur la table devant nous. Il s'est présenté à moi en tant que Raymond, détective en charge de mon dossier. Raymond m'a alors parlé de ma famille qui se faisait beaucoup de mauvais sang pour moi. Une faible lueur d'espoir dans l'œil, je lui ai demandé comment allait Mélissa. Il m'a répondu qu'elle s'inquiétait pour moi, comme tous les autres membres de ma famille. J'ai alors réalisé que cette fillette dans les bois n'était pas ma sœur. Je comprenais à cet instant que j'avais probablement vécu une sorte de psychose.

Par la suite, le détective m'a posé de nombreuses questions sur ce qui s'était passé pendant les deux mois de ma disparition. Je lui ai raconté des mensonges du début à la fin. Je mourais d'envie de lui dire toute la vérité, mais ç'aurait été trop dangereux pour moi et pour ma famille. J'étais trop facile à retrouver puisque mon nom et ma photo avaient paru à la télévision et dans les journaux. Je devais taire les événements passés. Je ne pouvais pas risquer de mettre toute ma famille en danger pour essayer, sûrement en vain, de sauver les autres filles. Et puis, je n'avais pas la moindre idée de l'endroit où elles étaient retenues prisonnières. Dans tous les cas de figure, il était plus que probable que nos tortionnaires devaient déjà être en train de déménager leur repaire...

Je me doute bien que, à la lecture de ce passage, des gens seront indignés. Mais je vous jure que je n'avais pas le courage d'agir autrement à cette période-là. J'avais seulement quatorze ans, je venais de vivre des traumatismes qui dépassaient l'entendement, et j'étais morte de trouille.

À la fin de l'interrogatoire, Raymond m'a demandé si je voulais retourner chez mes parents ou si je préférais aller dans un centre d'accueil. J'ai opté pour le second choix, parce que je ne me sentais pas du tout apte à reprendre une vie normale. Il m'a aussi demandé si je souhaitais voir mes parents avant qu'il m'amène au centre d'accueil fermé de Joliette.

J'ai refusé, car je n'étais pas prête à affronter leur regard... J'en étais incapable, même si j'en avais un besoin presque douloureux. Je les aimais du plus profond de mon cœur, en dépit de mes tentatives désespérées pour les renier – surtout mon père. Je n'avais pas vu ma famille depuis deux mois ! J'avais du mal à le croire. Les deux mois de ma disparition s'étaient écoulés dans une notion du temps imaginaire. Parce que je ne voulais pas voir, je ne voulais pas savoir, je ne voulais pas comprendre. Parce qu'il était essentiel à ma survie que je ne me rende pas compte du nombre ahurissant d'atrocités que j'avais vécues durant une période aussi courte.

Au centre d'accueil, j'étais logée dans un pavillon d'engorgement, situé juste à côté d'un département de psychiatrie pour enfants. On était douze filles dans l'unité. Ma chambre – si on peut vraiment qualifier ce réduit de chambre – se trouvait dans l'un des corridors où les néons restaient allumés 24 h sur 24. Parfois, j'entendais des enfants hurler de détresse derrière la porte en métal. L'atmosphère de cet établissement donnait froid dans le dos.

Tandis que ma vie ne tenait qu'à un fil, une infection dans ma gorge est apparue. J'ai pu sortir du centre, avec ma mère, pour aller à l'hôpital. La DPJ avait fait une demande afin que mon dossier soit pris en charge le plus rapidement possible. Le médecin a fait un prélèvement et, après quelques heures dans la salle d'attente, il m'a annoncé que j'avais contracté la chlamydia. Bien sûr, cette ITS se traite assez bien : quatre pilules à avaler en une seule fois et adieu colocataire indésirable. Mais cette mauvaise nouvelle m'a donné un choc. Véritable choc émotionnel qui bouleverse viscéralement.

Je me sentais sale et avilie. J'avais affreusement honte de ma propre personne. Je me dégoûtais moi-même. J'aurais voulu prendre des bains purificateurs, j'adjurais le ciel de décrasser mon corps de toutes les souillures qu'il avait subies, j'implorais l'ange de la mort d'exécuter les coupables.

Quatre semaines ont passé, dans une lenteur impressionnante. J'avais l'impression d'être là depuis une éternité ! Je devais me lever chaque matin, alors que tout ce que j'avais envie de faire, c'était de rester dans mon lit, d'oublier les événements récents et de prier pour que le ciel m'absolve de tous mes péchés.

Mais je devais suivre les règlements du centre et respecter une routine quotidienne : me lever, me brosser les dents, déjeuner, participer à quelques cours de rattrapage scolaire, dîner, participer à des sports, sortir dans la cour, souper, faire des tâches ménagères, prendre une collation, une douche et me rebrosser les dents, et retourner dans ma chambre. Chaque semaine, il y avait une rotation des tâches. Les fins de semaine, on avait le droit de manger des chips ou du chocolat et de boire une boisson gazeuse devant un film.

J'avais aussi le droit d'appeler les membres de ma famille deux fois par semaine. Eux me rendaient visite une fois par semaine. Ils m'apportaient du café et, lorsque mes frères et ma sœur ne venaient pas, mes parents m'apportaient des lettres qu'ils m'avaient écrites.

Avoir l'impression que ma vie était normale... Avoir la sensation que les choses finiraient par aller mieux...

Puis le jour de mon évaluation est arrivé. Mes parents, ma travailleuse sociale, Gabrielle, mon éducatrice, Karine, et moi étions dans une salle de rencontre. Mon éducatrice a demandé que mon évaluation soit repoussée à une date ultérieure, car selon elle, je ne parlais pas assez pour qu'ils aient pu m'évaluer sérieusement. De ce fait, la rencontre s'est conclue sur une entente : la décision finale de la durée totale de mon séjour dans ce centre d'accueil était reportée d'un mois.

Dès lors, j'ai essayé de parler un peu plus avec Karine.

Malgré mon impression qu'elle était constamment sur mes talons, comme si elle devait absolument me trouver des bibittes, comme s'il était tout à fait impossible que je n'aie pas de problème ou de trouble du comportement. Elle s'était même mise à m'épier quand j'étais à la salle de bains, pour s'assurer que je ne me faisais pas vomir. Bien sûr que j'étais maigre ! J'avais quand même vécu dans la rue pendant des semaines ! Bien sûr que je n'avais pas d'appétit ! J'étais dans un état psychologique indescriptible. Manger était le moindre de mes soucis !

Pendant la plus grande partie de ma vie, j'avais été une petite fille sage, qui se conformait aux règles. À ce moment-là, dans ce centre, je n'étais plus que l'enveloppe corporelle de cette petite fille sage. Mon âme n'était plus que cendres au fond de mon corps.

Au bout du délai prévu, nous nous sommes tous réunis de nouveau. Karine voulait me garder sous surveillance

185

pour une année complète, mais Gabrielle a objecté que je n'étais pas à ma place dans ce centre de réadaptation, que mes parents souhaitaient mon retour à la maison, que je ne présentais pas de trouble du comportement et que mon esprit analytique ainsi que mon intelligence pourraient me mener loin, si seulement ils me donnaient la chance de le leur prouver à l'extérieur de ces murs.

Grâce aux textes que j'avais commencé à écrire pour elle, Gabrielle avait vu un grand potentiel en moi. D'ailleurs, je ne l'ai jamais assez remerciée pour sa confiance et sa gentillesse. Elle se reconnaîtra sûrement si elle lit ces lignes un jour, et je tiens à lui témoigner toute ma reconnaissance.

Bref, nous en sommes venus à un compromis : j'allais rester deux mois supplémentaires au centre d'accueil. Pendant ce temps, j'aurais des rencontres avec une psychologue et je réintégrerais graduellement le milieu familial. À partir de ce jour-là, j'ai vu une psychologue deux fois par semaine, jusqu'à ma sortie du centre de réadaptation. Ces rencontres m'ont fait un peu de bien ; j'ai pu extérioriser un peu plus mes émotions, parler un peu plus ouvertement. Mais comme c'était une psychologue de la DPJ, je ne lui ai pas tout raconté ; j'avais des doutes quant au fait que mes confidences resteraient entre nous.

Au terme des deux mois additionnels, j'ai pu aller passer une fin de semaine à la nouvelle maison de mes parents. Ç'a été très bizarre lors des premières minutes de mon arrivée. Ce n'était pas la maison dans laquelle j'avais grandi. Tout me semblait irréel : un nouveau décor et ma famille réunie de nouveau. Puis cette impression s'est un peu estompée, et j'ai profité du bonheur d'être enfin avec des gens qui m'aimaient.

Un peu plus tard, j'ai pu y retourner, pour une autre fin de semaine, mais cette fois, ça s'est mal passé. Mon père m'avait donné la permission d'aller chez mon amie Kate. Dans la soirée, la mère de Kate nous a conduites au cinéma. Mon père l'a appris en appelant chez mon amie. Furieux, il est venu m'attendre dans le stationnement du cinéma. Lorsque je suis sortie, il s'est mis à m'invectiver et à m'injurier devant mes amis.

Une fois de retour à la maison, je suis montée dans ma chambre, en larmes, et j'ai commencé à faire mes sacs pour retourner au centre d'accueil. Mais ma mère m'a convaincue de rester. Je l'ai fait parce que je ne voulais pas décevoir ma maman chérie une fois de plus.

Peu après cette mésaventure, ma date de sortie est tombée. Je redoutais un peu ce moment, puisque j'avais pu constater que mon père n'avait pas changé, mais j'avais trop hâte d'être aux côtés de ma mère, de ma sœur et de mes frères. Je suis retournée habiter avec ma famille, mon sac sur l'épaule, mon rapport d'évaluation en main.

Nom : _____ Desabysses _____

Prénom : _____ Arielle _____

Unité de vie : _____ L'Oasis (rue Visitation) ___

Date d'admission : ___ 14 mai 20XX _____

Nom de l'éducatrice-tutrice : ___ Karine Benoit ___

Nom de la personne autorisée : _Gabrielle Després

Date du rapport : _____ 5 juin 20XX ___

Table d'orientation : _____ 11 juin 20XX ___

Motifs de l'admission : _____

Aspect légal :

Arielle est présentement en mesures volontaires jusqu'au 14 juin 20XX, et ce, en vertu de la Loi sur la protection de la jeunesse.

Circonstances de l'admission :

Cette adolescente est placée en centre de réadaptation à la suite de plusieurs situations problématiques, telles que :

Fugue de deux mois.

Relation père-fille conflictuelle.

Relations douteuses avec de jeunes adultes (contact avec le monde des danseuses nues).

188

Arielle avait demandé à faire un signalement et elle s'est vu refuser par la DPJ. Donc, elle a décidé de fuguer pour provoquer les choses.

Mode d'expression sur les aspects suivants :

• **Physique :**

Cette jeune adolescente présente un physique normal pour une fille de son âge. Lors de sports et des périodes d'aérobie, nous observons une bonne motricité globale.

Arielle accorde beaucoup d'importance à son image corporelle. De plus, elle assume bien son hygiène de base durant la routine matinale.

En ce qui concerne ses conduites alimentaires, on soupçonne un problème d'anorexie.

• **Intellectuel :**

Arielle ne présente pas de retard scolaire. Selon notre évaluation, l'adolescente possède un niveau de connaissances très développé et un excellent potentiel. Elle s'exprime de façon très articulée. Toutefois, elle éprouve des difficultés à initier les sujets de conversation. Cependant, lorsqu'elle s'adonne aux discussions, elle est capable d'argumenter, de maintenir son point de vue et de terminer la conversation de façon adéquate. Elle a une bonne capacité de jugement et émet ses opinions avec facilité tout en acceptant celles des autres.

Arielle connaît et comprend bien les règles de l'unité. Cependant, lors d'application des règles et des consignes, elle prend rarement des initiatives et fournit le minimum d'efforts. Lors des activités sportives, Arielle donne peu d'efforts et se retire fréquemment. Durant les périodes ludiques, elle consacre beaucoup de temps à l'écriture. Cette adolescente a un bon sens de l'organisation et elle respecte bien les horaires.

• **Affectif :**

Arielle entre difficilement en relation avec les pairs et les intervenants. Lors de rencontres avec l'adulte, elle demeure superficielle. Il est difficile d'avoir accès à son monde émotif. Arielle est extrêmement introvertie. Lorsqu'on la questionne sur les événements entourant sa fugue, ses réponses nous apparaissent parfois nébuleuses.

Elle réagit mal lorsqu'elle est confrontée à ses torts. Elle essaie de manipuler pour éviter d'avouer ses erreurs. Par contre, elle assume bien les conséquences et est capable d'introspection lors des réflexions.

• **Social :**

Cette jeune fille s'intègre peu aux conversations ; elle est plutôt discrète. Il lui est arrivé, à quelques reprises, de se retirer du groupe pour ne pas participer à l'activité sportive. Étant donné son manque d'implication dans l'unité, elle est peu recherchée par ses pairs. De plus, elle fait peu confiance à l'adulte. La relation avec les éducateurs est plutôt de type utilitaire.

Au cours de son séjour, Arielle a reçu régulièrement la visite ainsi que des appels téléphoniques de sa famille.

• **Moral :**

Les valeurs nous apparaissant importantes pour Arielle sont : la sincérité, l'amitié et le respect.

Implication et réaction face à l'encadrement :

Arielle se conforme bien ; elle respecte les règles et consignes de l'unité. L'adolescente participe bien aux tâches, mais elle a besoin de supervision afin que celles-ci soient effectuées correctement.

Au cours de son séjour, Arielle a vécu des conséquences principalement reliées à sa participation médiocre aux sports. Parfois, elle se retirait volontairement pour éviter d'y participer.

Évaluation sur les aspects psychodynamiques :

– Difficulté à exprimer ses émotions ; elle demeure superficielle.

– Difficulté à accepter les règles à la maison.

– Problèmes importants de communication avec le père.

– Tendance à la manipulation pour arriver à ses fins.

– Capable d'introspection lors de réflexions.

– Démontre une certaine motivation à performer au scolaire.

Recommandations :

À la lumière de ce rapport, il est recommandé un place-ment en centre de réadaptation, avec intégration pro-gressive dans le milieu familial dès que la situation le permettra.

Chapitre 12

*La plus grande souffrance est
de se sentir seul,
sans amour,
abandonné de tous.*

Mère Teresa

Les tremblements de terre se sont arrêtés, les grondements du tonnerre se sont éloignés, les mugissements du vent dans les feuilles se sont tus, les racines des arbres se sont replantées dans la terre, lentement, prudemment.

L'apocalypse avait fini ses ravages. Mon monde avait été dévasté. D'une certaine façon, mon souhait avait été réalisé. J'avais incontestablement quitté ce monde, cette orbite, cet enfer. Mais, contre toutes mes espérances, j'avais dérapé jusqu'à un monde parallèle, un univers où même les réprouvés n'ont pas accès. J'étais piégée dans l'isolement, celui que je m'étais créé moi-même en fuguant. Cet isolement qui s'était collé à ma peau et qui ne voulait plus partir.

Avant de revenir à la maison, j'étais persuadée de connaître toutes les fondations de la solitude absolue. En fait, je n'étais alors qu'une néophyte de l'isolement, sans le savoir.

Les mois qui ont suivi mon retour à la maison et ma réintégration à l'école ont été une période tragique. J'avais rencontré le directeur de mon école avec ma mère afin qu'il me trouve une place dans une autre école de la commission scolaire, mais ils m'ont tous deux convaincue de faire face à mes problèmes et non de les fuir.

Je suis donc retournée à cette école où tous les crétins « connaissaient » mon histoire. Des rumeurs circulaient à mon sujet partout dans l'établissement, et même partout dans la ville. Apparemment, j'étais une prostituée qui avait vendu son corps pour quelques dollars, au coin des rues. Ils me poussaient sauvagement contre les casiers, ils menaçaient de me passer à tabac, ils me ridiculisaient en me pointant du doigt et en riant méchamment, ils m'affublaient de surnoms méprisants, ils crachaient sur le sol à côté de moi, et même quelquefois sur moi lorsque je passais près d'eux. Ils massacraient une jeune fille qui gisait déjà au sol, agonisant au bout de ses souffrances. Même les amis que j'avais avant de fuguer ont fini par m'abandonner.

Mon retour à la vie normale – si on peut la qualifier ainsi – m'a fait comprendre rapidement qu'on ne peut pas se sentir vraiment seul tant et aussi longtemps qu'on ne s'est pas senti seul même entouré des personnes qu'on aimait tant auparavant. Être délaissée par des gens qui m'étaient chers a été la plus grande injustice que j'ai pu vivre dans toute mon existence.

Même quand je souhaitais mourir à tout prix durant les deux mois de ma disparition, une voix ténue au fond de mon être s'échinait à me dire que, si le destin m'offrait un jour la boussole pour retrouver le chemin vers ma maison, j'allais retrouver des visages aimants et des voix apaisantes. Pauvre petite Gretel...

Ma famille a fait de son mieux pour me montrer que, pour eux, rien n'avait changé, qu'ils m'aimaient toujours autant. Mélissa me regardait avec des étoiles dans les yeux, comme seules les petites sœurs savent le faire. Mike était aussi affectueux et enjoué qu'avant. Derrick discutait encore avec moi de tout et de rien. Charlotte était égale à elle-même, attentionnée et adorable. Henri, lui, changeait lentement : il était moins sévère, voire presque effacé de ma vie.

Je n'étais vraiment pas préparée à me retrouver face à une muraille qui dissimulait derrière elle une animosité incommensurable. J'étais bien placée pour savoir que l'être humain pouvait se montrer terriblement cruel, mais je n'avais pas encore réalisé à quel point.

Jamais je n'aurais pu imaginer que la ville où j'avais grandi, la ville entière, allait me percevoir et me traiter comme une enfant du diable. L'idée ne m'aurait jamais effleurée que tous mes amis allaient me fuir comme si j'étais une bombe à retardement. Au contraire, je rêvais qu'ils m'accueillent à bras ouverts, qu'ils me flattent tendrement les cheveux, qu'ils caressent doucement mon visage, qu'ils me sourient de compassion et d'encouragement. Qu'ils déclarent que j'avais bien fait de survivre. Qu'ils me disent gentiment que j'avais encore ma place parmi les vivants, parmi eux. Mais je m'étais trompée ; seuls les membres de ma famille m'ont prise sincèrement dans leurs bras.

Bien sûr, quelques amies courageuses ont essayé d'être là pour moi. Toutefois, comme les gens le disent si bien, le temps fait son œuvre ; rien n'est éternel. Elles ont fini par m'abandonner parce qu'elles ne pouvaient supporter plus longtemps d'être associées au mépris que provoquait ma simple existence, ou parce qu'elles se sont aperçues que la douce, aimable et innocente Arielle Desabysses n'existait plus.

Pendant cette période, je passais mes soirées à pleurer dans mon lit, effroyablement seule au monde. J'ai même pensé sérieusement que je n'aurais jamais dû m'échapper de cette cave crasseuse et puante, que j'aurais dû mourir au bout des souffrances barbares auxquelles ils prévoyaient me soumettre. Ç'aurait été moins douloureux que de me rendre compte que, en dépit de toutes les épreuves indescriptibles que j'avais dû surmonter, j'allais finir seule et anéantie. Rejetée si férocement que je n'avais d'autre choix que de me faire recluse. Séquestrée par la malignité de la société, autant par les truands que par ses citoyens soi-disant bien-veillants.

Je me souviens d'un soir où, ayant entendu mes sanglots déchirants, mon père est venu me prendre dans ses bras. Je lui ai dit que je n'avais plus aucun ami, que tout le monde me détestait, que la solitude remplissait tout mon être, tout mon univers. Il s'est mis à pleurer silencieusement. Oui, mon père, cet homme apparemment insensible...

Des pensées suicidaires ont alors commencé à traverser mon esprit. Au début, rarement et furtivement, puis de plus en plus régulièrement et longuement. La vie est une succession d'événements qui se définissent ainsi : dramatiques, banals et fastes. Chacun vivra sa part respective de ces trois types d'événements. Malheureusement, la vie ne suit aucune règle, elle n'exerce aucune justice, elle nous porte même d'innombrables préjudices. La répartition est donc inégale et inique, mais nous sommes totalement impuissants devant ces injustices. Nous ne pouvons qu'essayer de bien mener notre vie à travers les fatalités qui échappent à notre contrôle.

Or, certains événements tragiques blessent cruellement notre âme, ce qui cause parfois des plaies béantes qui s'infectent au fil du temps. Lorsque ces pensées suicidaires s'introduisent sournoisement dans notre tête, tout au début, on les combat avec force. Mais plus le temps s'écoule, plus on perd de la vigueur. Ces pensées se fraient alors vicieusement un chemin jusqu'à notre cœur et elles l'entourent, l'enveloppent, l'étouffent. Parfois, notre cœur s'arrête de battre. Parce qu'on n'a plus le courage d'avancer. Parce qu'on n'a plus l'énergie de se battre sur tous les fronts. Parce qu'on veut fuir notre supplice intérieur. Du moins, pendant quelque temps...

Je ne savais pas encore quel chemin j'allais choisir : celui de ma vie affligeante ou celui d'une mort paisible.

Chapitre 13

Le suicide !
Mais c'est la force de ceux qui n'en ont plus,
c'est l'espoir de ceux qui ne croient plus,
c'est le sublime courage des vaincus.

Guy de Maupassant

Quelques mois après mon retour, alors que mes quinze ans pointaient à l'horizon, j'ai fait la connaissance de Hank, à l'insu de mes parents, sur un site de clavardage. Il avait dix-sept ans et il habitait Montréal. Très peu de temps s'est écoulé entre notre toute première rencontre et notre toute première journée passée ensemble en tant que couple officiel.

Aujourd'hui, je ne compte même plus Hank parmi mes anciens copains, car cette histoire a été tout sauf une idylle de jeunesse. De mon côté, croyant que les hommes étaient tous des obsédés sexuels insensibles et insatiables, je lui offrais mon corps sans aspirer au moindre bonheur, sans imaginer une seule seconde que le vrai amour, celui avec un grand « A », pouvait réellement exister. De son côté, inconscient et mesquin comme on peut l'être à cet âge, il avait juste envie de profiter des plaisirs de la chair sans rien donner en retour, sans se soucier des cœurs qu'il pouvait briser au passage.

Cette « relation » a duré dix mois. Hank et moi, on se voyait tous les vendredis soir. Le sexe était la seule chose qu'on partageait et qui nous unissait. Ça me convenait puisque, de toute façon, je ne connaissais rien d'autre. Dans mon esprit perturbé, j'étais convaincue que toutes les relations amoureuses se passaient comme ça. J'étais persuadée que l'amour dont tout le monde parlait, c'était juste ça.

Puis, un jour, Hank m'a téléphoné pour rompre avec moi. J'ai passé des semaines à pleurer sur notre séparation. J'étais inconsolable. Encore aujourd'hui, je ne sais pas vraiment pour quelle raison. Josianne, Marilou et Sasha, des filles de mon école secondaire d'une année plus jeune avec lesquelles je m'étais récemment liée d'amitié, ont tenté de me changer les idées et d'alléger mon chagrin, en vain. Peut-être parce que j'avais besoin d'éprouver le sentiment lénifiant que quelqu'un m'aimait, coûte que coûte.

Par la suite, mon adolescence s'est déroulée dans un foutoir pathétique de drogues, d'amants et d'aberrations. Je donnais mon corps à presque n'importe quel garçon qui en montrait l'envie, je mentais, je manipulais. J'étais totalement perdue. Cet enchaînement d'errements s'est arrêté quand j'ai rencontré mon premier vrai copain. Jimmy m'a fait réaliser que l'amour, celui avec un grand « A », était possible, mais qu'on devait commencer par s'aimer soi-même convenablement, puis aimer quelqu'un de la même façon qu'on souhaitait être aimé. Ce garçon a été le chevalier vaillant qui m'a aidée à fuir la tour vertigineuse où j'étais captive depuis de longues années.

Grâce à toutes mes tribulations, j'ai appris que la vie se passe rarement comme on l'avait imaginée. Les événements s'enchaînent, les défis se succèdent, les échecs se multiplient, les larmes s'accumulent. Tout passe, tout lasse, tout devient dégueulasse. L'espérance disparaît et les rêves s'effacent. L'abattement devient alors un mode de vie. Nos yeux fuient le regard inquisiteur des autres et on se laisse tomber dans un précipice sans fond. Notre existence nous semble irrévocablement futile et infernale. Jusqu'au jour où une lueur d'espoir jaillit enfin de l'obscurité. Cette lueur remplie de promesses dissipe tranquillement toute équivoque, elle nous fait voir la vie autrement, elle nous donne le courage de se sortir de ce gouffre infini.

Pour ma part, cette lueur d'espoir avait pour nom Jimmy. Il a été le premier homme à me traiter correctement, à me voir comme un être humain à part entière. Il m'a enseigné la tendresse, la complicité, la confiance et tout ce qui est indispensable dans une relation amoureuse. Il m'a appris à vivre, tout simplement. Notre histoire a pris fin peu après mes dix-huit ans.

Quand j'ai eu vingt et un ans, j'ai rencontré un homme très différent de Jimmy. Il s'appelait Nick. Au début, il était séducteur, gentil et attentionné ; j'ai rapidement succombé à ses charmes illusoires. Puis, alors qu'il était déjà trop tard pour moi, que j'étais déjà éprise de lui, il est devenu une tout autre personne : manipulateur, menteur et narcissique. Il me traitait comme une moins que rien. Il me parlait comme si j'étais complètement nulle, il s'irritait à mes moindres paroles, il me mentait et me manipulait, il me trompait sans vergogne, rejetant sur moi la faute de son infidélité, en me reprochant, par exemple, que ma lingerie était trop usée. Il a même été jusqu'à donner mon chat à l'une de ses maîtresses.

Plus le temps avançait, plus je me sentais inintelligente, repoussante et insignifiante. Il m'écrasait à un point tel que mon estime personnelle hautement fragilisée a été totalement ruinée. J'en suis même venue à croire que je méritais d'être traitée ainsi.

Le soir de mon vingt-deuxième anniversaire, Nick s'est montré particulièrement méchant avec moi. Mon cœur s'est rompu, mon esprit s'est brisé pour de bon. J'étais chez moi, seule, en sanglots, et, dans un élan de pur désespoir, j'ai commencé à avaler des pilules.

Puis, dans un bref moment de lucidité, je me suis arrêtée et j'ai appelé le poste de police pour qu'ils me viennent en aide avant que je commette l'acte fatal et irréversible.

Je me suis retrouvée à l'hôpital, admise dans l'aile psychiatrique. Quelques jours plus tard, le verdict est tombé : trouble de personnalité limite et trouble d'anxiété sociale.

Chapitre 14

Effacer le passé, on le peut toujours :
c'est une affaire de regret, de désaveu, d'oubli.
Mais on n'évite pas l'avenir.

Oscar Wilde

J'ai passé plus de dix ans à ignorer mon passé, à nier une partie de la personne que je suis. Plus j'enfouissais ces vérités un peu plus profondément chaque jour, plus les dégâts devenaient considérables. Mon passé, que je m'efforçais d'oublier, entravait mon parcours, ralentissait ma vitesse, comme un forçat qui doit traîner un boulet de fer attaché à sa cheville. Plus le temps filait, plus l'attache du boulet tailladait sévèrement ma chair. Plus elle meurtrissait ma chair, plus l'indéniable se rapprochait dangereusement de moi. Je le voyais dans mon rétroviseur imaginaire, mais, malheureusement, je n'ai pas eu les réflexes nécessaires pour pouvoir l'éviter.

Mon passé, cette partie de moi-même que je cherchais à enfouir, m'a heurtée de plein fouet. Et je me suis fracassé le nez durement contre l'inéluctable. L'an passé, j'ai plongé dans une dépression majeure. Nier ce que nous sommes est une erreur fatale. Le passé finit toujours par nous rattraper et nous hanter.

Aujourd'hui, tandis que j'écris pesamment mon histoire, tandis que je m'efforce de faire la plus grande rétrospection de toute mon existence, aussi honnêtement et consciencieusement que cela m'est possible, j'admets que j'ai ma part de responsabilité dans tout ce qui m'est arrivé.

Au fil des années, les gens ont dit beaucoup de choses de moi, autant positives que négatives. Quelquefois, leurs paroles m'ont terriblement blessée, mais, d'une façon paradoxale, récemment, elles m'ont fait réfléchir sérieusement sur ma personne, elles m'ont aidée à mieux me connaître moi-même. Il est facile de repousser, indignés et mortifiés, les insultes qu'on nous lance et de se dire qu'on est au-dessus de tout ça. Il est bien moins facile de les prendre en considération et de faire le tri entre le vrai et le faux. Mais, comme je suis une femme qui aime se compliquer la vie, c'est ce que j'ai fait !

De tout ce qui a été dit sur ma personne, ce qui a eu le plus d'influence sur ma vie a été écrit par un des surveillants de mon école secondaire :

> *Arielle,*
>
> *Tu as marqué ma vie à cette école secondaire. J'aime ta sensibilité et ta finesse. Je te souhaite une joie de vivre intense pour toute la vie.*
>
> *Ton surveillant,*
>
> *Anwar*

Ces mots vous sembleront peut-être banals, mais ils ont eu une grande influence sur moi. Quand on est une adolescente, que les gens vous dévisagent comme si vous étiez une erreur de la nature, quand vous n'avez plus aucune confiance en personne, incluant vous-même, je vous jure que ces simples mots exercent une influence très stimulante sur votre personne.

Grâce à Anwar, de mon retour à l'école secondaire jusqu'à mon départ, mon existence a été moins cuisante. Lors de ma disparition, il avait parlé avec mes parents, avec les policiers et avec mes amis. Et, après mon retour, il m'a porté une attention particulière, cette attention gracieuse dont j'avais besoin plus que tout et que personne d'autre ne m'accordait. Je me suis retrouvée d'innombrables fois à pleurer dans son bureau ; il m'a aidée à ne pas détester tout le monde, à garder espoir et, surtout, à traverser les obstacles la tête haute.

Je suis un être plein de contradictions, plein de défauts, mais je crois que le plus nuisible, c'est mon entêtement. J'ai un fort caractère, et je l'avoue, j'ai une tête de cochon. Il est impossible de me forcer à faire quelque chose dont je n'ai pas envie. Et, si vous réussissez, vous allez sans doute le regretter un jour ou l'autre, d'une façon ou d'une autre.

Plusieurs de mes proches disent de moi que je suis forte et courageuse. Mais ce n'est pas exact. Je suis plutôt libre et entêtée. Je n'accepte pas qu'on choisisse ou qu'on décide pour moi. D'autres personnes de mon entourage m'ont déjà dit qu'elles m'admiraient parce que j'ai toujours su survivre, en dépit du cataclysme qui s'est abattu sur moi. Je sais maintenant que si j'ai surmonté tous les obstacles qui ont entravé ma route, ce n'était pas vraiment par courage, ni par volonté de vivre. Ce n'était que par arrogance, pour brandir un doigt d'honneur sous le nez de ceux qui souhaitaient me voir échouer. Si j'avais écouté les gens, si j'avais consenti à certains compromis, accepté leurs contraintes, prêté une oreille attentive à leurs conseils, aujourd'hui, quand je regarderais par-dessus mon épaule, je verrais sans doute un territoire plus coloré et dynamique.

Alors que je m'approche tranquillement de ma trentième année de vie, je suis capable de dire que fuguer n'était certainement pas une solution à mes problèmes. J'aurais pu faire des signalements à la Direction de la protection de la jeunesse jusqu'à ce qu'ils puissent s'occuper de mon dossier. J'aurais pu faire un séjour dans un centre jeunesse d'hébergement, le temps que mon père se calme et moi aussi.

Les endroits où trouver refuge ne sont peut-être pas aussi nombreux qu'on pourrait le souhaiter, mais il y en a (voir l'annexe I). J'aurais pu demander de l'aide au travailleur social ou au psychologue de mon école secondaire ou encore aux travailleurs sociaux dans les Maisons des jeunes. J'aurais pu prendre rendez-vous avec un travailleur social dans un CLSC. J'aurais pu faire tant de choses beaucoup moins dangereuses que fuguer. J'aurais dû...

Pour cette raison, je souhaite vous dire, chers lecteurs, adolescents ou parents, et sans vouloir paraître moralisatrice : n'allez surtout pas croire que ce genre d'histoire n'arrive qu'aux autres, aux familles plus démunies, aux jeunes délinquants, aux décrocheurs. Je viens d'une famille imparfaite – quelle famille ne l'est pas, même juste un peu ? –, mais aimante, éduquée et à l'aise financièrement. Si une dizaine de jeunes fuguent chaque jour, seulement dans la région métropolitaine (de Montréal), ils ne peuvent pas tous être des délinquants issus de familles démunies.

Chers lecteurs adolescents, je vous en prie, ne fuguez pas. Ce n'est pas la solution. Rien de bon pour vous ne pourra sortir de cette expérience ; essayez plutôt toutes les autres portes que je n'ai pas ouvertes. Chers lecteurs parents, soyez à l'écoute de vos adolescents, soyez attentifs aux signes de détresse et offrez-leur votre aide.

À ce jour, je connais quand même assez bien mes défauts et mes qualités, mes erreurs et mes bons coups. J'ai un trouble de personnalité limite et un trouble d'anxiété sociale ; ces psychopathologies entraînent nécessairement des comportements inadéquats.

Certaines personnes croient que, si j'ai fugué, c'est parce que j'avais des troubles mentaux. Ils se trompent, car « ... des composantes biogénétiques et environnementales doivent toutes deux être présentes pour le développement du trouble. [...] Différents types d'environnement pourraient aussi être propices au développement de ce trouble de santé mentale. Ainsi, les familles qui offrent des soins et une éducation acceptables pourraient constater que le trouble s'est développé chez leur enfant. Par ailleurs, plusieurs enfants subissent des ravages incalculables aux mains de leurs parents/tuteurs et ne manifestent pas de symptômes du trouble de personnalité limite. La meilleure explication semble être celle de la confluence des facteurs environnementaux avec un enfant sensible, instable sur le plan affectif, qui éprouve de la difficulté à interpréter le monde, y compris la signification des comportements de l'adulte qui s'occupe de lui. [...] Les premières manifestations apparaissent au plus tard à l'adolescence ou au début de l'âge adulte. »

Durant une grande partie de ma vie, je me suis sentie seule au monde, et ce, même lorsque j'étais entourée de ceux que j'aimais le plus. Je me sentais continuellement vide, comme s'il n'y avait rien de vivant à l'intérieur de moi, comme si le néant total flottait autour de moi, comme si je n'étais rien du tout. Une tempête violente et éternelle grondait à l'intérieur de moi, au plus profond de mon âme. Cet ouragan saccageait tout sur son passage. Il s'emparait des espoirs, des rêves, des sourires, des amitiés, des amours et même de la famille. En fait, j'étais prise d'un besoin aléatoire et incompréhensible de tout détruire, de me faire du mal ; je me causais du tort à moi-même ainsi qu'aux gens qui m'entouraient. Heureusement, cette époque est révolue. Aujourd'hui, je réussis beaucoup mieux à contrôler mes symptômes.

Par contre, j'ai encore peur de l'abandon. Donc, parfois, je dis des choses et je pose des gestes afin de me protéger, efforts souvent démesurés et qui provoquent des effets dommageables. Par exemple, si mon copain passait beaucoup de temps avec ses amis, depuis quelque temps, sans vraiment penser à m'inclure, inconsciemment, j'avais l'impression qu'il ne voulait plus de moi, qu'il allait me laisser, m'abandonner, alors je réagissais fortement. Je me fâchais, je criais, je boudais ou je pleurais. Naturellement, il trouvait que j'exagérais ; il avait le sentiment que j'étais possessive et que je voulais contrôler sa vie, donc il se fâchait ou me boudait à son tour. À partir de là, le cercle vicieux se mettait à tourbillonner de plus en plus rapidement, pour finir par nous engloutir. Je me sentais rejetée, et lui se sentait persécuté.

Il m'arrive encore de ne pas voir les zones grises. Pour moi, c'est souvent tout noir ou tout blanc, négatif ou positif, mal ou bien, surtout lorsqu'il s'agit de mes relations interpersonnelles. Si ma vie va majoritairement bien, je suis heureuse, j'ai confiance en moi, je me sens invincible et apte à réaliser tous mes rêves. Mais si ma vie se passe un peu moins bien, je suis abattue, je ne vois plus de lumière au bout du tunnel, je déteste profondément ce que je suis.

Cette dysphorie peut durer quelques minutes, quelques heures, voire quelques jours. Je vacille entre le bonheur, la tristesse, le désespoir et la colère. Je suis aussi très impulsive et même compulsive. Lorsque je ne me sens pas bien, je dépense mon argent en vêtements, souliers, appareils électroniques, sur une nouvelle coiffure ou une nouvelle coloration capillaire, comme si ces choses agissaient tel un baume sur mes maux intérieurs.

Si je me retrouve confrontée à une situation déchirante ou tragique, il m'arrive parfois de me dissocier ou de me dépersonnaliser. J'ai la sensation de ne plus faire partie de mon corps, comme si j'étais la spectatrice de ma vie et non l'actrice. Comme si mon cerveau s'était évanoui, tandis que mon corps fonctionnait encore...

Je souffre aussi d'un trouble obsessionnel compulsif. Lorsque je vis de l'anxiété, je **dois obligatoirement** promener mon regard autour de chaque objet, de chaque meuble, de chaque personne qui se trouve dans la même pièce que moi. Tous les pourtours et tous les contours. Irrépressiblement. Jusqu'à l'écriture de cette confession, je n'avais jamais compris pourquoi ce besoin incoercible m'envahissait. Maintenant, je sais que ce TOC résulte de mon séjour dans cette cave immonde.

J'ai reçu les diagnostics de TPL et de TAS il y a déjà quelques années. Depuis, j'ai fait beaucoup de travail personnel et je me sens réellement mieux. J'ai suivi une thérapie et je suis sous médication. Je suis vraiment plus heureuse et légère. De toute façon, « avoir une personnalité *borderline* n'est pas un drame en soi... car après avoir acquis une bonne conscience de ses vulnérabilités, les traits de personnalité d'hier générateurs de difficultés (trouble relationnel, chaos intense, sentiment de vide, rage, etc.)

deviennent des générateurs de potentialités (intelligence émotionnelle, hypersensibilité, passion, authenticité, spontanéité, compassion, etc.). »

En fait, selon la théorie d'Alain Tortosa, un psychopraticien, les personnes souffrant de trouble de personnalité limite sont aussi des émophanes*. Selon lui, tous ceux qui ont ce trouble de santé mentale présentent presque tous les caractéristiques suivantes : altruisme (tendance naturelle à aimer et à aider son prochain), autodérision (capacité à se moquer de soi-même), bon fond, créativité, curiosité (désir de comprendre, de connaître, de s'instruire), empathie (capacité de se mettre à la place d'une personne et de ressentir ce qu'elle vit/ressent), enthousiasme (forte émotion se traduisant par de grandes démonstrations de joie), exigence de soi, force de caractère (par ex. : supporter des choses que beaucoup ne supporteraient pas longtemps), générosité (disposition à donner sans compter), modestie (absence de vanité, d'orgueil), naïveté (innocence de l'enfant), ouverture d'esprit (facilité à comprendre et à admettre des idées et des opinions qui sont nouvelles ou inhabituelles), probité (droiture, intégrité, honnêteté, justice au sens moral), remise en question (capacité d'envisager que ses hypothèses ou croyances sont potentiellement erronées), sensibilité.

Sincèrement, je crois qu'il a raison. Je me retrouve dans toutes ces caractéristiques. Je suis une personne

---

* Définition d'émophane : Alain Tortosa a construit le mot émophane à partir du préfixe « émo » comme « émotion » et du suffixe grec « phane » dans le sens de « manifestation ». Émophane veut donc dire, étymologiquement parlant, « manifestation des émotions ».

hypersensible émotionnellement. Je ressens toutes mes émotions plus intensément et plus longuement que la majeure partie de la population. Au cours des dernières années, j'ai appris à me remettre en question et à analyser mes agissements. J'ai aussi appris à bien identifier les émotions que je vis sur le moment, puisque mon cerveau ne le fait pas naturellement et automatiquement, à comprendre leurs provenances et leurs causes, puis à les canaliser et à les rationaliser. J'ai également appris à me dire qu'il y a pire dans la vie et à hausser les épaules.

Je ne me fous pas de tout. Les trébuchements, les échecs, les obstacles et les erreurs m'ont simplement appris à continuer d'avancer malgré la rage, les larmes, les bobos sur les genoux, et ce, même si je dois continuer d'avancer en rampant. En fait, l'opposé serait plus vrai. Je me soucie énormément des gens que j'aime.

Comme je l'ai mentionné un peu plus haut, je suis une hypersensible émotionnellement, ce qui fait que je suis aussi hypersensible aux émotions des autres. Leur bien-être et leur bonheur me tiennent à cœur. Je donne tout ce que j'ai à ceux qui me sont chers, et bien plus même. Je suis foncièrement bonne, fondamentalement gentille, et bien malgré moi, j'ai foi en l'humanité. Je suis une personne authentique et, de ce fait, j'ai souvent l'impression que tout le monde est « fabriqué » pareil. Il m'est très difficile de concevoir que des gens puissent être mauvais. Je suis aussi patiente, passionnée, loyale, ouverte d'esprit, sincère, pleine de répartie, créative, empathique, altruiste.

218

Aujourd'hui, malgré ses imperfections, ma famille est ce que j'ai de plus cher. Je les aime à la vie à la mort. Tout un chacun. Exactement comme ils sont. On est une famille des plus unies : on discute comme des amis, on rigole comme des fous, on s'aime sincèrement. On est devenus forts, soudés. Ça n'a pas été facile, mais on y est arrivés. Mes parents ont d'ailleurs acheté un petit chalet dans les Laurentides afin qu'on se réunisse de temps en temps.

Derrick est fiancé à une femme merveilleuse, Valérie ; il est en train de compléter son baccalauréat en génie électrique. Mélissa est maintenant maman d'un petit bonhomme de quatre ans, Noah, dont je suis l'heureuse marraine. Elle retournera bientôt aux études pour faire une attestation d'études collégiales en assurance de dommages. Mike a un diplôme d'études professionnelles en réparation d'appareils électroniques, et il profite de la vie comme tout jeune homme de son âge. Charlotte travaille encore dans une école primaire en tant que surveillante d'élèves, mais elle approche tranquillement de sa retraite. Henri travaille encore comme commis-vendeur dans une compagnie privée, mais puisqu'il est plus jeune que ma mère, il lui reste encore quelques années avant sa retraite.

Pour ma part, j'ai fait des études collégiales en langues, mais, comme je rêvais d'avoir mon indépendance le plus rapidement possible, j'ai abandonné ces cours et je me suis dirigée en secrétariat. Par la suite, j'ai travaillé un an dans le domaine de l'administration pour une université, puis pour une banque pendant quatre ans, avant d'arrêter complètement de travailler.

J'ai fait une dépression. Je détestais mon domaine professionnel, et mon passé remontait à la surface, malgré toutes les couches de déni accumulées depuis plus de dix ans. Je me cherchais encore et encore, jusqu'à croire que je m'étais perdue à vouloir trop me trouver.

J'ai profité au maximum de cet arrêt maladie d'un an : je me suis reposée, je me suis remise en question, je me suis demandé ce que je voulais vraiment faire de ma vie. Et je me suis mise à écrire cette autobiographie, ce témoignage, cette confession. Jusqu'à aujourd'hui, c'est incontestablement ma plus grande réalisation, surtout qu'elle sera publiée sous peu.

Lorsque j'étais enfant, tandis que les autres fillettes aspiraient à devenir actrices, danseuses professionnelles ou chanteuses, moi, je rêvais d'être écrivaine. Et j'ai réussi. J'ai réalisé mon plus grand rêve, en plus de faire la plus grande rétrospection de mon existence. J'en suis extrêmement fière. De plus, récemment, j'ai commencé un certificat universitaire de premier cycle en pratiques rédactionnelles et j'ai obtenu un poste d'adjointe à la production de documents, dans une compagnie de marketing. C'est l'emploi de mes rêves : travailler avec les langues et l'esthétique de documents.

Ma vie n'a pas été facile, certes non, mais je suis heureuse maintenant.

Épilogue

E t l'amour dans tout ça ?

Je suis une grande romantique dans l'âme, même si je ne le démontre pas vraiment. Je crois sincèrement, voire peut-être candidement, en l'amour, celui avec un grand « A ». Celui qui nous rend fou de passion et qui nous remplit de béatitude. Celui qui nous insuffle la vie pendant qu'il existe et qui nous coupe le souffle lorsqu'il meurt. On m'a souvent dit que ma vision de l'amour était idyllique, surréaliste, mais je me refuse à le croire. Je suis une femme simple qui aime simplement un homme simple. Je crois seulement qu'on doit faire tout ce qui est en notre pouvoir pour que la relation perdure, aussi longtemps qu'y règne l'amour.

Mais, bien sûr, l'amour est indocile et imprévisible, tel un fleuve qui se jette férocement dans la mer par les jours de tempête et qui peut retrouver à tout moment sa douce quiétude. Tout comme nous ne pouvons pas maîtriser les flots, nous sommes incapables de contrôler l'amour. Nous ne pouvons pas décider qui nous allons aimer, ni quand nous allons tomber amoureux, ni quand nous allons cesser d'éprouver cet amour.

Être en amour, c'est se sentir plus vivant que jamais. C'est réserver inconsciemment notre dernière pensée pour l'être aimé juste avant de glisser aux pays des rêves, où le reflet de cette même personne nous accueille chaleureusement. C'est penser immédiatement à elle lorsque, au matin, s'estompent les dernières brumes du sommeil. C'est avoir immanquablement envie d'échafauder de grands projets avec cette personne, main dans la main, des étoiles dans les yeux, le sourire aux lèvres, sans les craintes habituelles aux adultes, avec l'insouciance pure et sublime des enfants.

Être en amour, c'est être poussé par je-ne-sais-quelle-force-divine à crier impétueusement notre passion sur tous les toits. C'est être fébrile toute la journée devant l'interminable attente que nous impose notre routine d'adulte avant de pouvoir enfin voir cette personne. C'est avoir l'envie irrépressible de lui faire l'amour à toute heure du jour et de la nuit, enlacés, emportés, entourés, embrassés, en cédant au plaisir qui nous rapproche et qui crée la complicité. C'est se languir de cette personne dès qu'elle est absente. C'est s'ennuyer de ses mains dès qu'elles quittent notre peau.

Être en amour, c'est sourire bêtement en imaginant son visage dans notre tête. C'est parler sans arrêt de cette personne et trouver une raison pour inclure son nom dans toutes les conversations. C'est vouloir passer tout son temps libre avec elle, en s'aimant follement. C'est se sentir gagné par l'ivresse, être dans un état constant d'excitation euphorique. C'est tout aimer de cette personne, ses qualités, ses défauts, ses réussites, ses erreurs, son passé et son présent ou, à défaut d'en avoir la capacité, c'est au moins tout accepter sincèrement.

Être en amour, c'est avoir envie de lui plaire continuellement et d'être à ses yeux tout ce qu'elle ne pourra jamais souhaiter. C'est ressentir quelquefois de la jalousie par peur de perdre cette personne. C'est pouvoir se plonger dans le mutisme et que cette personne nous comprenne tout de même. C'est voir la vie autrement et être plus positif, parce que cette personne nous rend meilleur de jour en jour, parce qu'elle nous donne le pouvoir de nous surpasser. C'est avoir l'audace et être prêt à affronter les cataclysmes des forces maléfiques, ensemble, main dans la main, yeux dans les yeux.

Bien entendu, l'amour est aussi contradictoire. Il nous inonde d'allégresse, nous donne miraculeusement la force de voler et nous fait voltiger dans un état second, mais il peut aussi nous faire piquer du nez jusqu'à l'écrasement violent, comme je l'ai vécu lors de ma rupture avec François, cet homme que j'ai aimé plus que quiconque, cet homme qui m'a fait voir que la vie me réservait beaucoup de bonheur, cet homme qui m'a fait réaliser que je méritais d'être aimée.

Mais, puisque vivre exige beaucoup de courage, et puisque nous devons tous un jour ou l'autre panser nos plaies, pourquoi ne pas me jeter, une fois de plus, tête la première, dans cet inouï et dangereux fleuve qu'est l'amour ? Vous vous dites que c'est de la pure folie ? Eh bien, oui ! L'amour, c'est justement un grand délire, alors il ne me sert à rien de vouloir catalyser cette folie.

Je ne pourrai jamais renoncer à l'amour, cette passion qui nous fait vibrer, ces effusions qui nous font frissonner. Peut-être que, à force de me faire fustiger le cœur, mes amours finiront par me tuer. Mais je m'en fous, mon besoin d'aimer et d'être aimée est bien plus grand que ma peur d'avoir le cœur percé.

Au pire, je succomberai à mes blessures, et mon nom deviendra légendaire, comme celui de Juliette.

Mais peut-être que l'amour véritable m'attend patiemment au détour d'un chemin que je n'ai pas encore emprunté. Peut-être que mon prince charmant guette placidement mon arrivée au détour du sentier menant à notre château.

Au mieux, je vivrai une dévotion fabuleuse et réciproque, et mon nom se prêtera au titre d'un conte de fées. Ils se marièrent et vécurent heureux jusqu'à la fin des temps... Pour le meilleur et pour le pire... dans un royaume fort non lointain...

Annexe I*
L'esclavage moderne

U ne grande partie de la population canadienne croit que l'esclavage sexuel est un phénomène qui a lieu à l'étranger, ailleurs, de l'autre côté de l'océan, partout, mais surtout pas ici. Pour illustrer mes propos, une personne de mon entourage, à qui je me suis confiée récemment, a répliqué : « Voyons donc ! Comme si ton histoire pouvait être vraie ! On est quand même pas dans le Bronx ! »

Malheureusement, la réalité a souvent un goût très amer. En effet, des réseaux très bien organisés, aux quatre coins du monde – incluant le Canada –, offrent des activités sexuelles – communément appelées « tourisme sexuel » –, surtout à ceux qui un goût très vif pour les enfants et les adolescents prépubères. Sujet tabou, mais combien réel et d'actualité...

---

* Dans cette annexe, puisque le phénomène en question affecte une très grande majorité de personnes de sexe féminin, le générique féminin est employé dans le seul but d'alléger le texte, mais il peut désigner aussi bien les hommes que les femmes.

Les gens ont peur d'en entendre parler et ils ont d'autant plus peur d'en parler eux-mêmes. Ça leur fait mal d'imaginer ces scènes violentes et barbares. Si on n'en parle pas, on peut toujours se dire que ça n'existe pas... Mais il est primordial de faire sauter cette barrière du silence à grands coups de lucidité. Notre société doit nécessairement – et inévitablement – faire face à ce problème, et ce, le plus vite possible. C'est grâce à ceux qui garderont les yeux ouverts, qui s'uniront dans le même combat, que nous pourrons vaincre ce fléau qui vole des vies humaines régulièrement, près de chez nous.

Prostitution, exploitation sexuelle, trafic d'êtres humains ou esclavage moderne ?

Les victimes du trafic d'êtres humains au Canada sont forcées à se prostituer par des trafiquants, des proxénètes ou des membres de gang de rue en échange de leur vie sauve, tandis que les victimes d'exploitation sexuelle ont été « recrutées » puis forcées à se prostituer pour des trafiquants, des proxénètes ou des membres de gang de rue en échange de nourriture, d'un toit, de vêtements, etc. Il n'y a pas beaucoup de différence entre ces deux cas, car les victimes se retrouvent esclaves d'une certaine façon. Le terme « esclavage » est valide dès qu'une personne est vendue, échangée, utilisée, violentée ou cédée. De ce fait, les victimes du trafic d'êtres humains ou de l'exploitation sexuelle sont également des victimes d'esclavage ou d'esclavage sexuel.

Pascale Philibert, qui mène le projet Mobilis (prévention de l'affiliation aux gangs de rue) du Centre jeunesse de la Montérégie en concertation avec la police de Longueuil, n'aime pas le terme « prostitution juvénile ». Selon elle, c'est un trafic d'êtres humains, car la carence affective et le besoin de protection sont les raisons principales pour lesquelles les jeunes se prostituent, et non l'argent ou la drogue. « En fait, ce n'est pas seulement cela, dit-elle. C'est la fugue, la problématique. La fille se ramasse toute seule, frustrée de la vie. Elle ne veut pas retourner chez elle. »

Certaines personnes croient faussement que les jeunes filles qui sont forcées à se prostituer sont responsables de leur propre exploitation sexuelle. Pourtant, ces jeunes sont victimes d'esclavage sexuel, de violence faite aux enfants, et non de « simples » prostituées. Selon la loi canadienne, les personnes d'âge mineur ne sont pas en droit de consentir à leur propre exploitation sexuelle. Il est donc illégal d'avoir des rapports sexuels avec ces jeunes, qu'elles soient « consentantes » ou non. Selon la Fédération canadienne des femmes, la vraie question est la suivante : au Canada, pourquoi les hommes abusent-ils des filles d'âge mineur en payant pour obtenir leurs services sexuels ? Un sondage d'opinion publique a été effectué en 2013 afin de répondre à cette question. Ce sondage révèle que 78 % des répondants canadiens croient que les filles âgées de moins de 16 ans ne se prostituent pas par choix.

Il est à noter que certaines personnes ne sont ni victimes du trafic d'êtres humains ni victimes d'exploitation sexuelle.

227

Des **adultes** peuvent décider de se prostituer en toute connaissance de cause, sans être forcés par des proxénètes. C'est uniquement dans ces cas-là qu'on peut parler de prostitution.

Qu'est-ce que l'esclavage moderne ?

Selon le Haut-Commissaire des Nations Unies aux droits de l'homme, l'esclavage moderne se définit ainsi :

« Le recrutement, le transport, le transfert, l'hébergement ou l'accueil de personnes, par la menace de recours ou le recours à la force ou à d'autres formes de contrainte, par enlèvement, fraude, tromperie, abus d'autorité ou d'une situation de vulnérabilité, ou par l'offre ou l'acceptation de paiements ou d'avantages pour obtenir le consentement d'une personne ayant autorité sur une autre aux fins d'exploitation.

L'exploitation comprend, au minimum :

L'exploitation de la prostitution d'autrui ou d'autres formes d'exploitation sexuelle ;

Le travail ou les services forcés ;

L'esclavage ou les pratiques analogues à l'esclavage ;

La servitude ;

Le prélèvement d'organes. »

L'esclavage moderne est donc l'exploitation de personnes, principalement à des fins d'activités sexuelles ou de travail forcé, qu'il y ait transport d'un pays à un autre ou à l'intérieur d'un même pays ou pas du tout.

Quelle est l'ampleur de ce phénomène ?

L'esclavage moderne est un fléau répandu à travers le monde entier.

En 2005, la Gendarmerie royale du Canada estimait que, chaque année, au moins 1 400 victimes du trafic international d'êtres humains avaient pour destination finale le Canada. Elle indiquait aussi qu'entre 1 500 et 2 200 personnes sont transportées du Canada aux États-Unis, une partie de ce nombre étant d'origine canadienne. En fait, le Canada sert de pays de destination (les individus sont amenés ici), de transit (les individus sont de passage, en route vers un autre pays) et de source (les victimes sont originaires d'ici). Au Canada, des centaines et des centaines d'enfants, d'hommes et surtout de femmes sont l'objet d'un tel trafic chaque année.

Il est difficile d'établir le nombre exact d'enfants concernés, mais un rapport de la GRC, daté de 2010, indiquait qu'il y avait environ 1 300 enfants canadiens portés disparus qui étaient soumis à ce trafic.

À l'échelle mondiale, le trafic international d'êtres humains ferait 2,4 millions de victimes. De ce nombre, environ 1,2 million sont des enfants. Le trafic d'êtres humains d'âge mineur fait à l'interne, soit au sein d'un même pays, qu'il y ait transport d'une province ou d'une ville à une autre ou pas du tout, est estimé à 4 000 victimes seulement à Montréal.

Il faut savoir que ces estimations sont conservatrices, car la clandestinité de ce phénomène complique lourdement les évaluations qui révéleraient, avec précision, ce genre de données. De plus, une des répercussions sur les victimes est qu'elles ne sont plus enclines à faire confiance à autrui, aux adultes en général, mais surtout aux hommes. D'ailleurs, les policiers et les travailleurs sociaux s'en plaignent ; le silence des victimes complique beaucoup leur travail. Mais peut-on vraiment leur en vouloir ? Pour s'en sortir vivantes, elles ont dû oublier, garder le silence et ne faire confiance à personne. Parmi celles qui déclarent avoir été victimes du trafic d'êtres humains, certaines rapportent qu'elles ont été traitées comme des criminelles. Si on tient compte de ces deux éléments, et sachant que moins de 10 % des agressions sexuelles au Canada sont signalées à la police, il est logique de croire que les victimes de l'esclavage sexuel sont encore moins susceptibles de prendre contact avec les autorités.

À quels endroits se trouvent les réseaux d'esclavage sexuel ?

Au Québec, les plus grands réseaux d'esclavage sexuel se trouvent, respectivement, à Montréal, à Québec et dans les villes un peu plus petites, telles que Sherbrooke, Trois-Rivières, Drummondville, Hull, etc. Aujourd'hui, ces réseaux s'étendent même jusqu'aux régions rurales.

En 2002 et 2003, dans la ville de Québec, plusieurs arrestations de proxénètes et de membres d'un gang de rue nommé Wolf Pack ont eu lieu grâce à l'Opération Scorpion. Ces personnes dirigeaient un réseau de prostitution juvénile, dont les activités se déroulaient à plusieurs endroits à travers la province. Il y a eu environ 150 accusations de proxénétisme et d'agressions sexuelles au cours de cette affaire. Au total, 70 jeunes filles étaient forcées à se prostituer.

En 2003, à Montréal, un trafic d'êtres humains dirigé par des réseaux russes et asiatiques a été mis à jour.

En 2010, toujours à Québec, alors que le réseau de prostitution juvénile des Wolf Pack a été démantelé grâce à l'Opération Scorpion, le phénomène persiste tout de même au sein de la ville. « Quoi qu'on en dise, la prostitution juvénile existe encore et elle existait aussi avant. L'arrestation du Wolf Pack a créé une onde de choc il y a dix ans, car les gens de Québec s'imaginaient que ça arrivait seulement ailleurs. Même aujourd'hui, plusieurs ont encore de la misère à réaliser que c'est vrai, que ça fait partie de notre réalité et qu'il faut être vigilant. Il y a dix ans, il n'était pas autant question d'Internet. Maintenant, des pans entiers de la prostitution quittent les lieux publics pour se passer sur Internet. Les stratégies que les gangs emploient pour recruter changent et s'adaptent », a déclaré Michel Dorais, sociologue et auteur connu, en entrevue au *Soleil*.

En 2012, un trafic de jeunes Québécoises, de Montréal jusqu'à Ottawa, Toronto et Niagara Falls, a été découvert.

« En Ontario, ils ont le contrôle sur elles, surtout les plus jeunes, parce qu'elles sont loin de leur famille et de leurs amis », apprend-on par l'équipe de *J. E.* dans un de leurs reportages. Selon la police, les proxénètes et les membres de gangs de rue, dont les Bo-Gars, y amènent les jeunes filles pour leur réseau de trafic d'êtres humains. « En plus de danser dans les bars, plusieurs d'entre elles sont forcées à la prostitution et deviennent de véritables esclaves sexuelles », explique-t-on également dans le reportage de *J. E.*

En 2014, un rapport de l'Alliance contre l'esclavage moderne indique que Toronto est, dans la province de l'Ontario, la principale destination pour le trafic d'êtres humains ainsi qu'un point de passage sur les plans national et international. Ce rapport mentionne que des personnes provenant de 18 pays, dont les États-Unis, l'Afghanistan, l'Ukraine et l'Inde, atterrissent au Canada, tandis que des personnes du Canada atterrissent, pour leur part, en Afghanistan, en Angleterre et aux États-Unis. Dans ce même rapport, on peut lire que 63 % de ces personnes étaient d'origine canadienne, qu'elles étaient âgées de 15 à 24 ans et que 90 % étaient de sexe féminin. Lors de cette même année, la police de Toronto a arrêté huit personnes et en a accusé plus de quarante de trafic d'êtres humains, dont des jeunes filles qui n'avaient pas plus de quatorze ans. Dans une autre vague d'arrestations, le trafic d'êtres humains se faisait entre l'Ontario et la Nouvelle-Écosse.

Au cours des dernières années, la Fondation canadienne des femmes a rencontré plus de 160 survivantes du trafic d'êtres humains à travers le pays. La plupart d'entre elles ont déclaré avoir été victimes de ce trafic pour la première fois à l'âge de 13 ans ou moins.

Dans certains cas, l'exploitation sexuelle se produit lors de fugues, car les jeunes fugueuses n'ont nulle part d'autre où aller. Elles sont des proies très faciles pour les gangs de rue, les proxénètes et les trafiquants. Souvent, il ne suffit que de quelques jours pour qu'elles soient forcées de se prostituer. Le contrôle exercé par les trafiquants, proxénètes et membres de gang de rue sur ces jeunes filles est comparable à celui d'une relation de violence familiale ou conjugale : le mélange de dépendance, d'amour et d'abus devient difficile à discerner.

Michel Dorais rappelle également que les jeunes qui se prostituent ne sont pas toutes issues de familles dysfonctionnelles ou d'un milieu défavorisé, comme beaucoup de gens se plaisent à le croire. « On l'a vu avec le scandale de la prostitution juvénile, en 2003, à Québec, plusieurs étaient des jeunes filles de très bonnes familles. Les adolescentes en fugue sont évidemment très vulnérables, mais ça ne signifie pas que les autres ne le sont pas. »

Quel est le mode opératoire des trafiquants ?

Au Canada, les trafiquants ont des manuels qui leur enseignent des tactiques de conditionnement et d'exploitation des êtres humains, principalement de sexe féminin. Leurs procédés incluent la séquestration, la violence physique, le viol, le viol en groupe, les menaces de violence envers les victimes et leur famille, l'induction d'une dépendance aux drogues, etc.

Grâce à des manipulations subtiles et intelligentes, les trafiquants canadiens d'êtres humains créent souvent une dépendance affective en prétendant vouloir être le petit ami ou le conjoint des victimes. Les trafiquants d'êtres humains sur le plan international, eux, dupent leurs victimes en leur promettant du travail, les envoient dans un pays dont ils ne parlent ni ne comprennent la langue, puis ils leur volent leur passeport, les isolent, etc.

Au fil des années, les trafiquants ont presque abandonné toute activité sexuelle de rue, car ils peuvent se faire repérer plus facilement. Ils utilisent maintenant Internet, les bordels illicites, les salons de massage, les bars de danseuses et les agences d'escortes.

Les trafiquants canadiens d'êtres humains trouvent leurs proies dans les endroits fréquentés par les jeunes : les écoles, les parcs, les terminus d'autobus, certaines stations de métro, les centres commerciaux, les arcades, etc. Au départ, les victimes sont comblées tant au niveau affectif que matériel. Alors que les trafiquants mettent en place leur stratégie machiavélique, les jeunes filles s'éprennent d'eux. Au bout de quelques semaines ou de quelques mois, ils leur ordonnent de rembourser leurs prétendues dettes en vantant les avantages de la danse (à 10 $ ou à 20 $, cette dernière permettant au client de toucher la jeune fille) et, très vite, de la prostitution, puisque les prétendues dettes ne cessent de s'accumuler. Un certain pourcentage des victimes ne s'oppose pas à l'idée de se prostituer ; leurs sentiments d'amour et de dépendance sont si intenses qu'elles en perdent leur capacité de jugement. Mais, pour les autres qui tentent de s'opposer, c'est la voie de l'intimidation, des menaces, de la brutalité, jusqu'à ce qu'elles ne voient plus d'autres options que de se soumettre.

Une victime du trafic d'êtres humains a, d'ailleurs, confirmé à un journaliste de *J. E.* que la plupart des Montréalaises en Ontario avaient été amenées par des proxénètes qu'elles croyaient être leur petit ami. « Elles leur donnent presque tout l'argent qu'elles font ici », a-t-elle confié. C'est la principale stratégie des membres de gang de rue – fait que James, un jeune homme dans l'entourage des gangs de rue, a confirmé au journaliste Denis Therriault.

« Les gars sont des champions séducteurs, renchérit Pascale Philibert, du projet Mobilis. On ne critique pas ces jeunes filles-là, d'ailleurs. C'est impossible de résister pour une fille qui n'a pas d'endroit où aller [...] Ces gars-là sont trop habiles. »

Les trafiquants, les proxénètes, les membres de gang de rue, peu importe le nom qu'on leur donne, n'ont aucune morale. *J. E.* a plus que prouvé ce point dans un reportage surprenant et dérangeant. La bande vidéo sur laquelle on voit Jocelyn Philogène Mior, recruteur du gang Wolf Pack, se faire interroger par un enquêteur constitue une pièce à conviction incontestable et incriminante. Sur cette bande, on entend le recruteur raconter qu'il ciblait les jeunes filles, souvent attirées par les Noirs, puis qu'il les poussait à commettre des vols à l'étalage, des fraudes, etc., pour ensuite les menacer de révéler leurs délits et pouvoir les manipuler. Lorsque Mior estimait que les filles étaient prêtes, il les envoyait avec un client *hardcore*. « Si ça passait, je pouvais investir sur elle, c'était un test », a-t-il confié sans remords. (Mior est porté disparu depuis 2011.)

Quelles sont les répercussions de ce phénomène ?

Les problèmes de santé physique et mentale sont, bien sûr, des répercussions de l'esclavage sexuel recensées presque inévitablement chez toutes les victimes. Peu importe la durée de leur « exposition », les risques de perturbations sont importants. (Comme dans mon cas, par exemple...)

Les manifestations sont nombreuses et d'intensité variable, et leurs conséquences peuvent être graves, voire mortelles : insomnie, stress élevé, manque d'appétit, consommation d'alcool et/ou de drogues, ITS, VIH, hépatites, grossesses non désirées, etc.

Ce ne sont pas tous les clients qui se protègent, surtout avec des jeunes mineures. D'ailleurs, de nombreux proxénètes offrent les activités sexuelles sans condom pour un léger supplément. On compte aussi de nombreuses blessures physiques. Les jeunes filles subissent très souvent la violence des clients et des proxénètes ; ces derniers les obligent parfois à des actes avilissants (sodomies répétées, urolagnie, coprophagie, pratiques sado-maso *gore*, etc.).

Le rejet et l'isolement social qu'entraînent les préjugés liés à ce phénomène : le fait, bien tristement, que ce sont les femmes qu'on rend responsables de l'existence de la prostitution, même lorsqu'elles y ont été forcées ; la violence verbale et physique des proxénètes et des clients ainsi que le sentiment d'être valorisée uniquement par le sexe sont des facteurs qui risquent de détruire l'estime personnelle des jeunes filles et de les rendre dépressives, voire suicidaires (comme je l'ai été pendant de nombreuses années). Certaines victimes peuvent même souffrir d'une désensibilisation à leur sexualité et à l'affectivité, car elles ont dû souvent se dissocier de leurs émotions et de leur corps pour survivre à ces cauchemars éveillés (comme ça m'est arrivé à maintes reprises). Elles peuvent avoir beaucoup d'expérience sur le plan sexuel, mais elles ignorent leur propre sexualité qu'elles doivent découvrir ou redécouvrir – situation comparable à celle que vivent les victimes d'inceste. Beaucoup de ces jeunes filles se retrouvent incapables de faire confiance à autrui (surtout aux adultes, hommes ou femmes, comme on a pu le lire dans mon évaluation de la DPJ).

Toutes ces répercussions entraînent, beaucoup plus souvent qu'on ne l'imagine, un état de stress post-traumatique (personne ayant vécu des événements au cours desquels son intégrité physique ou celle d'un proche a été sérieusement menacée et qui a éprouvé une peur intense, doublée d'un sentiment d'impuissance puisqu'elle était incapable d'échapper à la situation). Les personnes souffrant – ou ayant souffert – de cet état ont des troubles du sommeil, de la difficulté à se concentrer, des épisodes d'irritabilité, une peur implacable de se faire agresser de nouveau, voire des dissociations émotives ou cognitives (impression de ne plus être elles-mêmes ou d'être détachées de tout ; problèmes de mémoire sérieux concernant les événements traumatisants). C'est d'ailleurs pour cette raison que j'ai dû faire appel aux souvenirs de ma famille, pendant l'écriture de ce témoignage.

Vous vous demandez peut-être pourquoi j'ai tenu à partager ces informations avec vous. La raison est simple, et complexe à la fois. Au fil des années, j'ai pu constater que beaucoup (trop) de personnes croient que le trafic d'êtres humains n'existe pas au Canada. Pour couronner le tout, un plus grand nombre de personnes encore croient que les jeunes filles exploitées sexuellement ont choisi leur sort et en sont responsables.

Ces préjugés, cette ignorance – volontaire ou non – me brisent le cœur. Pour toutes ces jeunes victimes innocentes, et pour moi également. **Personne** ne souhaite être exploité sexuellement, peu importe la forme d'exploitation dont on parle. Les cas sont tous différents, mais ils se ressemblent tous sur ce point-là. Que la jeune fille soit contrainte à des activités sexuelles à la suite d'un kidnapping, dans un contexte familial dysfonctionnel et/ou dans un milieu défavorisé, ou par un cocktail Molotov de mensonges, de manipulation, de menaces et de violence physique, cela revient exactement au même : elle n'a pas choisi cette situation en toute connaissance de cause ; on la lui a imposée.

Il est faux de croire qu'on naît tous égaux. Il est encore plus faux de croire qu'une adolescente connaît et envisage toutes les conséquences reliées à ses actes, à ses paroles ou à ses choix. Prétendre qu'elles sont responsables de ce qui leur arrive est aussi consternant que de dire qu'une victime d'agression sexuelle « l'a bien cherché » parce que son décolleté était plongeant ou parce qu'elle marchait seule sur la rue, tard le soir, ou encore parce qu'elle avait accepté d'aller prendre un verre chez quelqu'un qu'elle ne connaissait pas quelques heures plus tôt.

Le jour où j'ai fugué, j'étais à des lieues d'imaginer que des viols répétés, l'exploitation sexuelle et un kidnapping allaient bouleverser mon existence à tout jamais. Aujourd'hui, à l'âge adulte, et en toute connaissance de cause, je peux vous assurer que mes choix seraient bien différents, si j'avais la possibilité de remonter le temps.

La « prostitution juvénile » n'existe pas. C'est un leurre, une dénomination qui nous donne bonne conscience, puisqu'elle a une connotation de choix, et qui nous déresponsabilise en tant que société. Seule l'exploitation sexuelle de jeunes personnes existe. C'est un marché rentable, un commerce connu et reconnu, qui profite... à qui ? Sûrement pas à ses victimes !

Je me tiendrai debout, droite et avec aplomb, et je répondrai à quiconque osera prétendre le contraire.

Annexe II

Tout ce qui pourrait vous être utile ou être utile à quelqu'un que vous connaissez

Liste des auberges jeunesse au Québec

Siège social

La Fondation des Auberges du Cœur du Québec
4246, rue Jean-Talon Est
Montréal
Sans frais : 1 866 992-6387
514 523-3659
www.aubergesducoeur.org/trouver-une-auberge-liste

Région Bas-Saint-Laurent

Le Transit
186, rue Rouleau
Rimouski
418 724-9595
Pour femmes et hommes de 17 à 30 ans

Tandem-Jeunesse
407, 5ᵉ Rue
La Pocatière
418 856-2202
Pour femmes et hommes de 15 à 22 ans

Région Québec

Maison Richelieu Hébergement Jeunesse
2808, Chemin des Quatre-Bourgeois
Sainte-Foy
418 659-1077
Pour jeunes filles de 12 à 17 ans

Gîte Jeunesse
Résidence Beauport
2706, av. Pierre-Roy
418 666-3225

Résidence Ste-Foy
3364, Rochambeau
418 652-9990
Pour jeunes hommes de 12 à 17 ans

Maison Marie Frédéric
990, rue St-Vallier Ouest
418 688-1582
Pour femmes et hommes de 18 à 30 ans

Région Estrie

La Source-Soleil
520, rue Dollard
Sherbrooke
819 563-1131
Pour femmes et hommes de 18 à 30 ans

Région Montréal

La Maison Tangente
1481, rue Desjardins
Montréal
514 252-8771
Pour femmes et hommes de 18 à 25 ans

Le Tournant
1775, rue Wolfe
Montréal
514 523-2157
Pour hommes de 18 à 29 ans

Habitations L'Escalier
2295, rue Desjardins
Montréal
514 252-9886
Pour femmes et hommes de 18 à 30 ans

Foyer des jeunes travailleurs et travailleuses de Montréal
2650, rue Davidson, local 110
Montréal
514 522-3198
Pour femmes et hommes de 17 à 24 ans

L'Avenue
2587, rue Leclaire
Montréal
514 254-2244
Pour femmes et hommes de 18 à 29 ans

Service d'hébergement Saint-Denis
Adresse confidentielle
514 374-6673
Pour femmes et hommes de 15 à 20 ans

L'Auberge communautaire du Sud-Ouest
5947, boul. Monk
Montréal
514 768-5223
Pour femmes et hommes de 18 à 29 ans

Ressources jeunesse de Saint-Laurent
1550, rue Élizabeth
1410, rue O'Brien
Saint-Laurent
514 747-1341
- Hébergement pour femmes et hommes de 16 à 22 ans
  514 748-0202
- Appartements supervisés pour femmes et hommes
  de 18 à 25 ans

Région Outaouais

Héberge-Ados
39, rue Richard
Gatineau
819 771-1750
Pour jeunes filles et jeunes hommes de 13 à 17 ans

L'Appart Adojeune
22, rue d'Auvergne
Gatineau
819 205-7204
Pour jeunes filles et jeunes hommes de 13 à 17 ans

Région Chaudières-Appalaches

L'ADOberge
881, avenue Tatiana
Saint-Georges, Lévis
418 834-3603
Pour les 12 à 17 ans

Région Laval

L'Envolée
1620, rue des Patriotes
Ste-Rose, Laval
450 628-0907
Pour femmes et hommes de 16 à 20 ans

Région Lanaudière

Le Diapason
1731, rue Maple
Mascouche
450 477-6201
Pour femmes et hommes de 14 à 18 ans

Chaumière Jeunesse
3299, 14e Avenue
Rawdon
450 834-2517
Pour femmes et hommes de 18 à 30 ans

Accueil Jeunesse Lanaudière
1094, boul. Manseau
Joliette
450 759-4610

Roland-Gauvreau
638, boul. Base-de-Roc
Joliette
450 759-2114
Pour femmes et hommes de 18 à 30 ans

Région Montérégie

L'Antre-temps
950, boul. Roland-Therrien
Longueuil
450 651-0125
Pour femmes et hommes de 16 à 21 ans

Le Baluchon
2290, avenue St-Joseph, casier postal 653
Saint-Hyacinthe
450 773-8818
Pour jeunes filles et jeunes hommes de 12 à 17 ans

Espace Vivant/Living Room
265, rue Hanson
Cowansville
450 955-0622
Pour jeunes filles et jeunes hommes de 12 à 17 ans

L'Élan des jeunes
155, rue de Gaspé Est
Châteauguay
450 844-3835
Pour femmes et hommes de 16 à 22 ans

Région Centre-du-Québec

Habit-Action
655, rue Lindsay
Drummondville
819 472-4689
Pour femmes et hommes de 18 à 30 ans

Maison Raymond Roy
91, rue D'Aston
Victoriaville
819 752-3320
Pour femmes et hommes de 18 à 29 ans

Listes des centres de jour/soir et dépannage de Montréal

Dans la rue – Centre de jour Chez Pop's
1664, rue Ontario Est
Montréal
514 526-7677

Chez Doris
1430, rue Chomedey
Montréal
514 937-2341

Ketch Café
4707, rue Saint-Denis
Montréal
514 985-0505

Le Roc ($)
1448, rue Beaudry
Montréal
514 904-1346

L'Anonyme
514 236-6700

Roulotte de Pop's
514 910-0409

Resto Pop ($)
514 521-4089

Liste des organismes
pouvant vous venir en aide

Projet Intervention Prostitution Québec
535, avenue Des Oblats
Québec
Sans frais : 1 866 641-0168
418 641-0168
Site Internet : www.pipq.org/

CLES
(Concertation des luttes contre l'exploitation sexuelle)
514 750-4535

L'agent sociocommunautaire du poste de police de votre quartier. Pour Montréal, le numéro de téléphone pour le joindre est le 514 280-04XX, suivi du numéro du poste de votre secteur (exemple : pour le poste de quartier 10 : 280-0410).

Le travailleur social du CLSC ou de la Clinique des jeunes de votre quartier.

La Direction de la protection de la jeunesse du Centre jeunesse de votre ville ou région.
- Pour Montréal :
  www.centrejeunessedemontreal.qc.ca/
- Pour Québec :
  www.centrejeunessedequebec.qc.ca/

Maison Passages
www.maisonpassages.com/

Ressource d'hébergement et d'insertion pour jeunes femmes en difficulté
- Volet hébergement
  514 875-5807, poste 23
  hebergement@maisonpassages.com
- Volet vie associative et relations avec la communauté
  514 875-5807, poste 24
  communaute@maisonpassages.com
- Volet logement social avec soutien communautaire
  514 256-6952
  logements@maisonpassages.com
- Volet accompagnement
  514 875-5807, poste 28
  pivot@maisonpassages. com

LigneParents
Aide parents-enfants, soutien professionnel gratuit
1 800 361-5085
514 288-5555

Centre pour les victimes d'agression sexuelle de Montréal
514 934-4504

Centre de référence du Grand Montréal
Renseignements sur les ressources disponibles dans la grande région de Montréal
514 527-1375
www.info-reference.qc.ca

P. I. a. M. P.
Projet d'intervention auprès des mineur(e)s prostitué(e)s
514 284-1267

Tel-Aide
Service continu d'écoute téléphonique, gratuit, anonyme
et confidentiel, pour personne en détresse
514 935-1101

Tel-Jeunes
Service d'intervention téléphonique et sur Internet pour
les jeunes
1 800 263-2266
www.teljeunes.com

En Marge 12-17
Service d'accompagnement personnalisé
et d'hébergement pour les 12 à 17 ans
1151, rue Alexandre de Sève
Montréal
514 849-5632

Jeunesse, J'écoute
1 800 668-6868
jeunessejecoute.ca

Le Bunker, Maison des jeunes
5675, rue Lafond
Montréal
514 722-1851, poste 403

Pact de rue
Organisme communautaire venant en aide aux jeunes
de 12 à 25 ans vivant des situations problématiques
8105, rue de Gaspé, suite 200
Montréal
514 278-9178

Centre de réadaptation en dépendance de Montréal
514 288-1515

Suicide-Action
514 723-4000

Transit/Centre de crise
514 282-7753

Hôpital Hôtel-Dieu
Aide pour les victimes d'agression sexuelle
514 890-8000

Drogues, aide et référence
514 527-2626

Projet Relais-méthadone (toxicomanie)
514 847-9300

Hôpital Saint-Luc (unité désintox)
514 890-8321

Cactus (20h - 4h) (toxicomanie)
514 847-0067

Dopamine (20h - 4h) (toxicomanie)
514 251-8872

Spectre de rue (10h - 21h) (toxicomanie)
514 524-5197

Plein Milieu (toxicomanie)
514 524-3661

Liste pour obtenir des informations juridiques

Aide juridique (criminel et pénal)
514 842-2233

Aide juridique (protection jeunesse)
514 864-9833

Aide juridique (immigration)
514 849-3671

Head and Hands (À deux mains, 25 et -)
514 481-0277

Stella (travailleuses du sexe)
514 285-8889

Inform'elle
450 443-8221

Action-Autonomie (santé mentale)
514 525-5060

Liste de livres/films sur le sujet

Jeunes filles sous influence : prostitution juvénile et gangs de rue, écrit par Michel Dorais, Montréal, VLB éditeur, 2006, 120 pages.

Les prostituées des gangs de rue, écrit par Dïana Bélice, Montréal, VLB éditeur, 2014, 76 pages.

Fille à vendre, écrit par Dïana Bélice, collection Tabou, Boucherville, Éditions de Mortagne, 2013, 296 pages.

Cul-de-sac
Court-métrage : le but du film est d'aider les jeunes à réfléchir sur la fugue et le mode de vie de la rue sans vouloir moraliser.

Pour obtenir le bon de commande, contactez :
LE BON DIEU DANS LA RUE
90 220-895, rue de la Gauchetière Ouest
Montréal
514 526-5222
www.danslarue.com
info@danslarue.org

Reportage *Prostitution juvénile à Montréal*
www.tva.canoe.ca/video/encore-plus-de-videos/
plus-recentes/1267225057001/prostitution-juvenile-a-
montreal-partie-1/1444860626001
www.tva.canoe.ca/video/encore-plus-de-videos/
plus-recentes/1267225057001/prostitution-juvenile-a-
montreal-partie-2/1445295101001

Reportage de *J. E.* sur la traite des jeunes femmes
www.tva.canoe.ca/cgi-bin/player/player_preroll.
pl ?titre=Reportage%20J.E.&emission=je&video=14448
60626001&reseau=TVA§ionlevel=§ionvaleur=&player=
43787007001&publisher=43787007001&width=480&heig
ht=306

Derrière moi
Film de Rafaël Ouellet

Ma fille mon ange
Film d'Alexis Durant-Brault

Trafic Humain
Film de Christian Duguay

Bibliographie

Association québécoise des parents et amis de la personne atteinte de la maladie mentale. *Le trouble de personnalité limite*

   [En ligne] www.aqpamm.ca/ressources/fiches-maladies/ le-trouble-de-la-personnalite-limite/

Carrefour TPL Association québécoise de la personnalité limite. *Guide famille 4*

   [En ligne] www.carrefourtpl.com/index.php?option= com_content&view=article&id=127%3Aguide-famille- 4&catid=41%3Aguide-proches&lang=fr

Carrefour TPL Association québécoise de la personnalité limite. *Guide famille 1*

   [En ligne] www.carrefourtpl.com/index.php?option= com_content&view=article&id=91%3Afamille&catid=41 &Itemid=115&lang=fr

DORAIS, Michel. *Jeunes filles sous influence : prostitution juvénile et gangs de rue*, Montréal, VLB éditeur, 2006, 120 pages.

FLORES, Jasline, Marie-Marthe Cousineau et Évelyne Fleury. « Thème : Prostitution juvénile », dans *Mieux connaître et agir.*

[En ligne] 2005, mise à jour le 28 mars 2014, Centre québécois de ressources en promotion de la sécurité et en prévention de la criminalité :

www.crpspc.qc.ca/default.asp?fichier=etat_texte_synthese_02. htm

- Fondation canadienne des femmes. *Les faits à propos de la traite de personnes*

  [En ligne] www.canadianwomen.org/fr/node/2699

- RADIO-CANADA. *Prostitution juvénile à Québec : vague d'arrestations*

  [En ligne] Mise à jour le 30 avril 2003.
  http://ici.radio-canada.ca/nouvelles/Index/nouvelles/200304/30/002-arrestations-prostitution.shtml

- SPVM et Centre jeunesse de Montréal. *Informations sur la prostitution juvénile par les gangs*

  [En ligne] www.spvm.qc.ca/upload/pdf/Prostitution_gang_depliant_fr.pdf

- TORTOSA, Alain. *Les émophanes*

  [En ligne] www.emophane.net/

- TVA Nouvelles. *La prostitution juvénile prend de l'ampleur à Montréal*

  [En ligne] Mise à jour le 28 mai 2003. www.tvanouvelles.ca/lcn/infos/regional/archives/2002/05/20020528-185728.html

- Unicef Canada. « Protéger les enfants contre le trafic d'êtres humains », dans *Protection de l'enfant*

  [En ligne]www.unicef.ca/fr/discover-fr/article/children-from-trafficking

- United Nations Office On Drugs And Crime. *Factsheet on human trafficking*

  [En ligne] www.unodc.org/documents/human-trafficking/UNVTF_fs_HT_EN.pdf

- YVON, Anne-Marie. *Canada : la traite humaine passe par Toronto* [En ligne] 2014, RCI. http ://www. rcinet. ca/fr/2014/06/16/canada-la-traite-humaine-passe-par-toronto/

Remerciements

Tout d'abord, je tiens à remercier mon éditrice, Carolyn Bergeron, d'avoir cru en moi et en mon projet, de m'avoir accompagnée et conseillée tout au long de la réalisation de cet ouvrage.

Je tiens aussi à remercier les membres de ma famille d'avoir collaboré à l'écriture du chapitre 10 et de m'avoir aidée lorsque ma mémoire me faisait défaut.

Enfin, je tiens à remercier Francis Dufour, pour le concept initial de la page couverture, concept qui a été racheté par les Éditions de Mortagne et retravaillé par Kinos. Un GROS merci pour ta grande créativité et ton grand cœur !

Pour tous commentaires, vous pouvez m'écrire à :

arielle@arielledesabysses.com
www.arielledesabysses.com
www.facebook.com/desabysses

Achevé d'imprimer
sur les presses de
Imprimerie H.L.N.
Imprimé au Canada - Printed in Canada